感染爆発・新型コロナ危機

パンデミックから世界恐慌へ

田中宇
Sakai Tanaka

花伝社

はじめに

２０２０年1月23日に中国政府が武漢と湖北省を突然に閉鎖して始まった新型ウイルス危機（コロナ危機）は、世界的に、ウイルス感染による人類の生命や健康に対する被害より、都市の閉鎖や外出の自粛による経済面の被害の方が大きいものになることが、ほぼ確定的になっている。このウイルスはこれまで致死率が２〜３％だと喧伝されてきたが、広範な検査を実施しているドイツの調査では、実際の致死率が０・37％しかなかった。致死率は世界的に誇張されている。日本では、４月７日の非常事態宣言以来、毎日のＰＣＲ検査数を増やすことで統計上の感染者を増やし、国民の危機感を扇動している。

これを書いているのは２０２０年４月中旬で、今の時点では、日本も米欧も5月になれば感染拡大が一段落して外出自粛や都市閉鎖が解かれていくのでないかと期待されている。だが私の予測だと、まだコロナ危機は始まったばかりで、5月になっても世界的に感染の拡大が続き、自粛や閉鎖をなかなか解けない状態が続く。自粛や閉鎖を解いたとたんに感染が再拡大して再度の自粛や閉鎖になる事態が予測される。自粛や閉鎖は経済活動の60〜80％を止めてしまう経済の全停止になる。自粛や閉鎖が長引くほど、経済が破壊され、失業や倒産が増えて、ウイルス感染による死者より経済苦による自殺者が多くなる。米政府からは、米国の経済閉鎖がこれから1年半続くとの予測も出ている。

この20年ほど、経済の借金漬けの状態と、金融のバブル膨張の状態が加速してきた米国では、都市閉鎖による経済の全停止が金融のバブル崩壊を引き起こす。米国は経済の債券化が世界で最も進んでいるため、その分、借金漬けの状態もひどく、金融バブルの膨張も進んでいる。米国の金融バブルは日欧や中国より巨大なので、コロナ危機の経済全停止が引き起こす経済面の破壊も巨大になる。

行き過ぎたQEの先にあるもの

米国を中心とする先進諸国の金融市場は、2008年のリーマン危機以降、米連銀（FRB、連邦準備制度）や日本銀行、欧州中央銀行といった米日欧の中央銀行群が造幣によって作った資金で債券や株（ETF）などを買い支えてバブルを延命させるQE（量的緩和）の政策が行われてきた。米国などの金融市場はリーマン危機後の12年間、QEによってバブルがますます膨張した。

今回のコロナ危機による経済の全停止の開始後、株や債券は2020年3月前半にいったん暴落したが、米日欧の中央銀行群がすぐにQEを増額して買い支えを増強し、株も債券も反騰した。その後、経済の全停止を嫌気して株や債券を売り放つ投資家たちと、売り放ちによる下落を穴埋めして反騰させる中銀群の動きが交錯し、金融市場は乱高下している。この乱高下はずっと続く。その間、中銀群は造幣して資金を注入し続け、ドルや円の過剰発行がひどくなっていく。

QEは過剰発行によって通貨を不健全な状態に追い込むので、一定限度内（3〜4年、米連銀の場合2兆ドル以内）で終わらせねばならない政策だった。しかし今回、ウイルス対策として経済が全停止し、それを穴埋めするために米日欧の中銀群は、これまでよりずっと規模が大きく無期限なQEを開始している。リーマン危機前に約1兆ドルだった米連銀の資産総額（バランスシート）はリーマン危機後、QEによって資産規模が4・5兆ドルまでふくらみ、とても不健全だと批判されていた（それで米連銀は2015年からQEを日欧中銀に肩代わりさせ、自分は資産削減に転じた）。だが今回のコロナ危機後、米連銀の資産はQEによって毎月2兆ドルずつ増加していく見通しで、2020年末には資産総額が20兆ドルに達しそうだ。以前には想像できなかったような、異様に不健全な状態になる。

中央銀行が通貨を発行しすぎて不健全な状態になると、何が起きるか。昔なら通貨の価値が大幅に下がる超インフレが起きた。だが今は逆にデフレの時代だ。金融システムと実体経済が分離しているので、通貨が過剰発行されてもそれは金融システム内だけのバブル膨張にしかならず、実体経済の物価の急上昇である超インフレにならない。中央銀行が通貨をいくら過剰発行しても超インフレにならないなら、通貨の過剰発行は何も悪いことでなく「過剰」ですらない、という話になり、米連銀のパウエル議長は4月初めに「通貨をいくら発行しても何の問題もない。無限に発行できる」と発言している。米連銀はQE（通貨発行）を急増し、経済全停止によるあらゆる損失を穴埋めしている。

コロナ危機は、中銀群、とくに米連銀による途方もないドルの過剰発行を引き起こす。ドルを発行しても何も問題が起きないなら、話はここで終わるが、多分そうではない。ドルの国際信用が低下する。人々はドルを備蓄通貨とみなさなくなる。すでに金地金の相場が高騰し、史上最高値を更新している。人々が、これまで世界的な備蓄通貨だったドルに対して不信感を持ち、ドルを売って金地金を買う動きが殺到している。コロナ危機は長期化し、QEが途方もない規模になり、ドルが備蓄通貨・基軸通貨としての機能を失う。

リーマン危機の時も、米連銀が２００９年にQEを開始するまで、ドルが基軸通貨としての地位を失うと予測されていた。ドルの基軸性の上に構築されていた債券金融システムがシステムごと崩壊・凍結したリーマン危機は、ドルの体制の崩壊を意味すると考えられた。ドルが基軸通貨として地位を失うと、それは通貨の話だけでなく、国際政治や安全保障の面を含む広範な米国の覇権喪失に至る。米国の覇権の力の源泉がドルの基軸性にあるからだ。

延命した米国覇権体制の再崩壊へ

米国の覇権は、戦後の世界体制の根幹に位置していた。戦後の世界は「米国覇権体制」だった。米国が覇権を喪失した場合、世界を無秩序な状態に置いておくわけにいかないので、EUやロシア、中国などが米国覇権体制に代わる多極型の覇権体制を用意し、そちらに移行していく必要がある。リーマン危機後の２００９年秋、EU諸国やロシアの提案で、米国覇権体制から多極型覇権体制への転換を進める組織としてG20サミットが結成された。新しい多極型の覇権体制としてのG20の結成は当時のブッシュ政権の米国も認知し、米政府は２００９年９月、それまでの経済問題の国際的な最高位の意思決定機関としての機能をＧ７からＧ20に移すと宣言した。Ｇ20では、ドルに代わる基軸通貨として、世界の有力な諸通貨を加重平均したＩＭＦのＳＤＲ（特別引き出し権）を使う構想もまとめられた。

その後、米連銀など中銀群がドルを造幣して債券を買い支えて債券金融システムを延命させるＱＥ策を開始し、米国の覇権もＱＥによって延命することになったので、Ｇ20や多極型覇権体制が、それまでのドルや米国覇権に取って代わる動きは棚上げされた。

ドルは、ドルの過剰発行によって延命することになったが、延命策の副作用として、ＱＥの資金注入によって債券金融システムのバブルが再燃し、米国の金融バブルが50兆ドルから２５０兆ドルへと大膨張した。この大膨張した金融バブルが、今回のコロナ危機による経済全停止の長期化によってバブル崩壊を引き起こしているのが現在の状況だ。このバブル崩壊に対処するため、米連銀など中銀群がＱＥを急拡大して資金注入・穴埋めしているが、ＱＥの急拡大はドルの信用を失墜させ、リーマン危機よりもっと大きな金融危機となって戻ってくる。米国覇権体制の崩壊が再び現実味を増し、いずれＧ20サミットが再招集され、米国覇権に代わる多極型覇権、ドルに代わるＳＤＲが再び検討されることになる。

ワクチン開発前の解決策は「集団免疫」しかない

コロナ危機による経済の全停止は、米国中心の巨大な金融バブルの破裂、ドルと米国覇権の崩壊を引き起こす。これは、新型ウイルスが生んだ不可避な出来事なのか？　実はそうでない。都市閉鎖や外出自粛による経済の全停止は、ウイルス感染拡大の防止策として不可避でも最良でもない。都市閉鎖や外出自粛をしばらく続けると、感染拡大はいったん止まるが、その後、閉鎖や自粛を解除すると、感染拡大が再開してしまう。閉鎖や自粛は、コロナ危機の一時的な延命策でしかなく、最終解決策でない。最終解決策は、ワクチンがない現段階だと、人々の大半が無発症や軽症で感染し、治癒して体内に抗体を持つことによって形成される「集団免疫」しかない。閉鎖や自粛は、集団免疫の形成を遅延させるだけの、良くない間違った政策だ。

閉鎖や自粛をやるにしても最小限にした方が良いのに、米国も日本も、閉鎖や自粛が最重要の政策として固執されている。そして、閉鎖や自粛が経済の全停止を引き起こし、米国中心の巨大な金融バブルの破綻を引き起こし、戦後の米国覇権体制を破壊して世界の覇権体制を多極化する。米国政府など世界が、新型ウイルスに対して間違った政策（経済全停止）を続けるので、米覇権崩壊や多極化が引き起こされる。私から見ると、トランプ大統領など米国の中枢にいる勢力が、意図的に間違ったウイルス対策をやって、米国自身の覇権の崩壊と多極化を引き起こしているように見える。このあたりの話は第二部9章に書いた。

今回のコロナ危機は、ウイルス自体の医学的な問題よりも、経済や国際政治、覇権の問題として人類に巨大な転換をもたらす。本書は、そのことについて、私が数日おきに執筆してメール配信してきた記事をまとめる形で解説している。本書の金融や覇権の話は、私の独自の分析が豊富に含まれていることもあり、多くの人にとって難解だろうし、ウイルスの話が金融や覇権の話に変わるのは不可解かもしれない。

しかし、難解や不可解を引き起こす大きな理由は、マスコミや権威筋が金融や覇権の本質を語らず、上っ面の話に終始しているからだ。本質は新聞テレビやスマホを漫然と受け入れているだけでは見えない。これからの世界や日本がどうなるかを把握したければ、コロナ危機が金融や覇権の転換を引き起こすことについて踏まえる必要がある。

感染爆発・新型コロナ危機——パンデミックから世界恐慌へ◆目次

第二部　世界大不況の始まり——がらりと変わった世界

第一部

パンデミックとなった
新型ウイルス

2020年2月4日

1章 武漢コロナウイルスの周辺

感染の発生原因と武漢ウイルス研究所

昨年末以降、中国・武漢から世界に広がっている新型コロナウイルスの感染の発生原因を考える際、最も重要な存在は、武漢にある中国科学院傘下の武漢ウイルス研究所（武漢病毒研究所）である。この研究所は、2002年末に広東省から発生したSARSの感染経路について研究していた。武漢ウイルス研は、中国のSARS研究の中心地だ（北京のウイルス研から中心地が移ってきた）。SARSもコロナウイルスであり、今回のウイルスとかなり似ている。武漢研は、SARSのウイルスがコウモリからハクビシン（野生猫）を経由して変異しつつヒトに感染したことを突き止めた。ハクビシンとヒトのSARSウイルスはほとんど同じもの（ゲノムの配列が10ヌクレオチドの違い）であり、コウモリが独特の免疫システムによって多数のウイルスを体内に保有し続けていることを加味すると、ＳＡＲＳの発生経路はコウモリから野生のハクビシンに移り、広東省内の野生動物食肉市場に入荷した生きたハクビシンから売り子や買い物客に感染したと考えられる。

武漢研の研究者たちが bioRxiv で発表した調査によると、ヒトが感染した新型ウイルスのゲノムの配列は、コウモリが持つ同種のウイルスの配列と96・２％の割合で同一で、ヒトのＳＡＲＳウイルスとも79・５％の割合で一致している。別の研究者 Trevor Bedford によると、今回のヒトの新型ウイルスと、最も近いコウモリのコロナウイルス RaTG13 との配列の違いは１１００ヌクレオチドとなっている。

ＳＡＲＳのほか、２０１２年にサウジアラビアから発生したＭＥＲＳ（中東呼吸器症候群）も、コウモリからラクダに感染し、発症したラクダを看病した人などのヒトに感染したとされている。ＳＡＲＳ、ＭＥＲＳと今回の新型ウイルスは、いずれもコロナウイルスだ。１９７６年から10回以上アフリカで発生しているエボラ出血熱のウイルスも、コロナと別のウイルスだが、コウモリからサルなど野生の哺乳類を経てヒトに感染したとされる。おそらく今回の新型ウイルスも、華南のどこかに生息するコウモリから他の哺乳類に感染し、そこからヒトに変異しつつ感染したと推測できる。武漢市の野生動物食肉市場で売られていた生きた野生動物からヒトに移ったのではないかと中国当局は言っている（原因はヘビだという説も流れたが、哺乳類であるコウモリから爬虫類であるヘビを経由して、再び哺乳類であるヒトに感染したとは思えない）。

コウモリは、飛行する唯一の哺乳類だ。飛行には多大なエネルギーが必要で、飛行可能になるための進化の過程で免疫システムが独特なものになっている。他の哺乳類だと発症してしまうウイルスが、コウモリの体内では消滅も発症もしない共存状態で維持され、その結果、コウモリはヒトなど他の哺乳類にとって危険なウイルスを無数に持っている。コウモリが持っている危険なウイルスのほとんど（狂犬病以外）はヒトに直接に感染せず、コウモリより大きな哺乳類を経て変異を重ねてからヒトに感染する。ＳＡＲＳの場合、コウモリからハクビシンを経てヒトの感染に至るまで25〜60年かかっていると推測されている。

武漢研は、ＳＡＲＳの発生経路を研究する際、これらのコウモリ由来の各種のウイルスが他の動物やヒトに感染していく状況について詳しく調べてきた。武漢研の研究者は、中国各地や周辺諸国を回り、コウモリやその糞尿などを採取し、そこからウイルスを分離して調べてきた。コウモリが持っていたウイルスを、研究所内で他の動物に感染させてみる動物実験も繰り返されてきたはずだ。中国共産党がＳＡＲＳの原因解明・再発防止に熱心だったほど、ウイルスの採取や動物実験も熱心に行われてきたと考えられる。各地のコウモリから採取されたウイルスは多種多様で、その中に今回の新型コロナウイルスが含まれていたとしても不思議でない。

「人為発生」の可能性はゼロなのか

今回の新型ウイルスが、どこかの山でコウモリから野生哺乳類に移り、その動物が武漢の野生市場で生きたまま（宿主の動物が死ぬと間もなくウイルスも死ぬ）売られている間にヒトに感染し、潜伏期間中のヒトから他のヒトに急速に拡大して今の事態になったという「自然発生」の可能性はもちろんある。しかし同時に武漢市には、厳重に封じ込められている状態であるが、ヒトに感染しうるコウモリ由来の多数の危険なコロナウイルスが存在する場所としてウイルス研究所が存在している。これは偶然の一致なのか？　ウイルスが研究所から漏れた「人為発生」の可能性はゼロなのか？

実のところ中国では、ＳＡＲＳの発生経路を研究する過程で、２００４年４月ごろ４回にわたり、北京の研究施設からのＳＡＲＳウイルスの漏洩が起きている。ＳＡＲＳに対する研究は当初、北京の国立ウイルス学研究所で行われていた。この研究所では、生きたSARSウイルスを使った研究をバイオセーフティな実験室で行い、実験の後、ウイルスを不活性化（熱湯やアルコールで殺す）してから一般の実験室に移していたが、不活性化の処理をした後、本当にウイルスが死滅した不活性状態になっているかという検査が不十分で、一部のSARSウイルスが人に感染しうる活性化した状態のまま一般の実験室に移して置かれたため、通りかかった無関係な職員らがSARSに感染し、感染を知らないまま実家に帰った看護師の一人が実家で発症し、看病した母親が感染・発症して死ぬ事態など、ウイルス漏洩事件に発展した。この事件は報道され、ウイルス研究所の所長ら幹部5人が処罰された。

ウイルスの研究施設の所員の感染による漏洩事件は、人類のウイルス研究の歴史とともに古い。たとえば英国では、1963~78年に天然痘の研究機関で所員が感染して外部にウイルスを漏洩する事件が80件も起きている。この間、天然痘の発生地域からの帰国などによる自然発生は4件だけだった。当時の教訓からその後、米英などの主導で世界的に実験室のバイオセーフティの強化が行われた。SARSに関しても、中国だけでなく、台湾とシンガポールの研究所で2003年中に1回ずつ、所員の感染によるSARSウイルスの漏洩が起きている。ＳＡＲＳはその後、自然界経由で再発していない。

中国でのＳＡＲＳ研究は、発生後しばらく北京のウイルス学研究所が中心だったが、その後、２０１７年に武漢のウイルス研究所にバイオセーフティの最高レベルであるレベル４（BSL-4）の研究施設が新設され、武漢に中心が移った。レベル４の施設は武漢が中国初で、北京はレベル３だった（ＳＡＲＳ研究の中心を北京から武漢に移転した理由は不明だが、発生地の華南に近く、コロナウイルスに関係しうるコウモリや野生動物を入手しやすいからか、もしくはウイルス漏洩が起きるなら首都の北京でなく遠くの地方都市の方がましだからか?）。中国にはもう一つ、北辺のハルビン市にある中国農業科学院ハルビン獣医研究所にもレベル４の実験施設が２０１８年に完成し、こちらは鳥インフルエンザを中心に研究している。

バイオセーフティのレベルが高いほど、ウイルスの漏洩を防ぐための管理が厳重になる。きちんと管理されている限り、武漢での漏洩の可能性は北京より低い。しかし同時にいえるのは、今回の新型ウイルスが発症前の潜伏期間中に他人に感染してしまうため、潜伏期間中の感染が見られていないＳＡＲＳウイルスに比べ、所員の感染を検知しにくいことだ。ウイルス研究界は、所内の感染にとても敏感だ。ＳＡＲＳを経験した中国のコロナウイルス研究は世界的に高い水準で、研究者の多くは米欧研究所での経験も積んでいる。しかしそれでも、今回のウイルスなら、研究所が漏洩に気づいた時にはすでに街中に感染が広がり始めている、といった大惨事があり得る。この大惨事は、まさにいま武漢で起きていることに近い感じがする。こうした考察を経ると、自然発生（野生市場経由）の可能性と同じくらい、人為発生（研究所から漏洩）の可能性があることがわかる。

人為発生（研究所から漏洩）の可能性を前提にさらに考えると、人為発生が真相であり、それを中国共産党中央が知ったとしても、それが公式化せず、その後もずっと「野生市場経由の発生」が定着していく可能性がある。今回の新型ウイルス拡大が研究所からの漏洩によるものだったとして、それを公表してしまうと、医療や科学の研究全般に対して中国が近年積み上げてきた信用が世界的に崩れ、習近平を含む中国共産党全体の責任になりかねない。武漢の野生動物市場の訪問者に初期の感染者が多いことが発表されているが、人為発生が真相な場合、これは歪曲された目くらましかもしれない。

トランプと軍産複合体の思惑

人為発生であったとしても、中国共産党上層部の意図として行われた可能性はない。自らの権威をできるだけ高めたい習近平が、自分を陥れることをやるとは思えない。何者かが武漢の研究所からウイルス漏洩を意図的に引き起こしたのだとしたら、それは中国側でなく米国側だ。トランプ大統領と軍産複合体は、それぞれが正反対の意図で、中国と米国の関係を、協調から敵対へ、密接関係から関係分離・デカップリングへと転換しようとしてきた。トランプは、中国を米国から分離しつつ強化して覇権構造を多極化しようとしている。軍産は、中国を米国から分離しつつ弱体化して冷戦構造と米覇権体制を再生しようとしている。トランプは、従来の世界支配層だった軍産の一部になっているふりをしつつ、軍産の支配構造を破壊している。

トランプも軍産も、中国と米国との関係を経済政治の両面でデカップリングさせたい。そして今回の新型ウイルスの発生は、米中のデカップリングを劇的に進めている。これを意図的にやった勢力が米国にいるなら、新興勢力であるトランプ系でなく、昔から中国にスパイを置いている軍産だろう。今回のウイルス事件でいうと、たとえば米国の大学に滞在中に軍産に脅迫勧誘されて米国のスパイとなった中国人研究者が武漢研の中にいて、その人物がウイルス漏洩を誘発したとかいったことが考えうる。考えることは可能だが、実証は不可能だ。非現実的な感じもする。たとえ中国共産党中央がスパイの存在は把握していたとしても、永久に真相は公開されない。どちらにしても、野生市場経由の自然発生説が公式説明として定着する。そうならない場合、改めて考察する。

その他、ネット上の英文情報の中には、今回のウイルスが意図的な人為発生であるという指摘がいくつかある。それに対する検証も興味深いのだが、それはあらためて書くことにする。

2月10日

2章　ウイルス戦争で4億人を封鎖する中国

巨大な封鎖体制

2月10日、中国政府が武漢コロナウイルスの蔓延を防ぐため延長していた旧正月の休暇の延長期間が終わり、中国各地の一部の工場や企業の活動が再開された。だが、再開は一部だけにとどまり、中国の経済活動のほとんどは依然として停止している。先週末（2月9日）の段階で、中国経済の80％、中国から世界への輸出の90％が止まっていた。大企業のひとつアリババは、今週いっぱい16日まで従業員の休暇と操業停止を延長した。中国政府は「ウイルスの拡大は山を越えたが、まだ感染再燃の恐れがあるので慎重に経済を再開していく」と表明している。これから徐々に再開するという見通しだ。

しかし実際にはここ数日、市民に無期限の外出禁止（自宅検疫）を義務づけ、地域を封鎖する新たな大都市や省が相次いでいる。成都、広州、重慶、南京、杭州、ハルビンなどだ。先週末の時点で、40の大都市と3つの省が全住民に自宅検疫を義務づけている。中国の人口の3分の1を占める4億人が自宅検疫を続けている。それ以外の中国もおそらく全域が住民に何らかの行動規制を強いている。無数の中小都市や農村が、検問所を作って外部者の入域を禁じ、内部の住民もできるだけ外に行かせない検疫体制を組んでいる。

自宅検疫の拡大からは「感染拡大が山を越え、徐々に経済を再開する」という当局発表とは逆の動きが感じられる。つまり「まだ感染が拡大しており山を越えておらず、経済を再開できる状況にない」ということだ。「中国経済は2月10日から慎重に再開された」という公式論は、中国への国際非難の増加や株価下落を防ぐための歪曲話かもしれない。来週始めの2月17日になっても経済再開が加速しない場合、事態の改善が歪曲話である可能性が強まる。

4億人の自宅検疫体制を「感染拡大」でなく「感染拡大を先制する予防策」と考えることもできる。だが、この巨大な封鎖体制は、中国の党と人々が最重視する「経済活動（金儲け）」や「教育」を著しく阻害する。中国全土の学校のほとんどは閉まったままだ。現時点で予定されている最速の学校再開は3月1日だ。「一応やっておこう」的な予防策でこんなことをするとは思えない。やはり今回のウイルスはかなり危険なものであり、湖北省以外の場所でも感染がまだ拡大していると推察するのが妥当だ。

戦争並みの有事体制

習近平は2月5日ごろの中国共産党中央の会議で、今回のウイルスとの戦いには「1937年の精神」が必要だと言っている。1937年は日中戦争が始まった年であり、習近平が言いたかったのは、まだ山賊だった中国共産党軍が巨大な日本と死にものぐるいで戦おうとした時の「抗日戦争の精神」である。安倍の日本は中国に対して「いい子」を貫き、日中間の定期旅客機は飛び続けているし、安倍は日本のマスコミやウヨクに中国批判を言わせない傾向だ。だから習近平は、反日的な「日本と戦った時の精神」でなく「1937年の精神」と言ったのだろう。習近平は「ウイルスとの戦いは、党と国家の運命がかかっている大変な戦争なのだ」と言った。中国共産党は今回のウイルスを「国家安全に対する重大な脅威」と考えており、それで「戦争」つまり有事体制を組むことにした。有事体制の一つが、4億人に対する自宅検疫の強制だった。

「今回のウイルスはそんな危険なものではない。習近平は、自分の独裁を強化するために戦争だと言っているんだ」という説がある。それは間違いだ。鄧小平以来、中国共産党の政治正統性は経済成長にある。今回のウイルス問題で中国が経済成長できなくなると、中国共産党と習近平独裁体制の正統性が失われる。中京は、経済を犠牲にして4億人に自宅検疫を強要している。このウイルスはやはり中国の国家安全の脅威になる危険なものなのだ。戦時に自国軍の犠牲を小さく見せる有事プロパガンダをやるように、中国共産党は感染者や死者の総数、致死率を実際よりずっと少なく発表している疑いがある。

中国共産党の今回の「戦争」の敵は新型ウイルスだ。治療薬は存在しない。検査薬も、医療従事者も足りない。武漢では医療従事者の3割が院内で感染し、どんどん発症している。ウイルスとの戦いが長引くほど、ウイルスに勝てなくなっていく。治療薬がないことは、敵と戦う武器がないことを意味する。感染者や発症者は、隔離しておくしかない。本来なら1人ずつ個室に隔離しておくべきだが、収容施設が足りない。仕方がないので、新しく作った病院には仕切りもない。発症者どうしが密集して寝ている。ウイルス感染で発症して治癒すると、体内に抗体ができて再発を防ぐが、今回のウイルスは十分な抗体が作られず、いちど発症して治癒しても再び感染し発症する可能性があると、北京のウイルス専門家が発表した。しかも、ウイルスは人から人に感染していくうちに変異して別のウイルスになりうる。発症者が大部屋に集められている病院では、治癒しても再発してしまう恐れがある。一度入ったら二度と出られない「死の収容所」と化しているとの指摘がある。

これはとんでもない人権侵害だと非難されているが、事態は平時でなく戦時だ。病院が足りないので発症者を自宅に置いておくと同居人や近隣の人々が大量に発症しかねない。発症者が出た町の全体を隔離し、住民の外出を禁じないと、町全体、国全体が発症してしまう。治療薬はないし医療従事者も足りない。ウイルス感染した国民は「敵」を内包している。病院とは名ばかりの「死の収容所」を作って隔離しておくしかない。武漢や他の都市では、中国共産党がホテルを接収して発症者を閉じ込める仮病院＝収容所にしている。そこには看護師も少数しかいない。この惨事を外部に伝えようとした市民ジャーナリストが捕まってこれらの収容所に隔離されたと中国敵視の活動家が指摘している。事実上の死刑である。戦時だから売国奴は死んでもらう、ということだ。

習近平は1月23日に武漢の周辺を完全閉鎖した時点で、武漢が全滅しても国家を救うためにやむをえないと考えて見捨てたのだろう。武漢の患者救済を優先していたら、外部と武漢との交通の遮断が遅れ、感染が中国全土や全世界にもっと急速に広がっていただろう。中国共産党のこうした強硬な戦法は、中国共産党が抗日戦争に勝った「勝者」で、強い独裁体制だからやれている。その戦争で「無条件降伏」し、その後75年間骨抜きの日本で同様のウイルス事件（たとえば武蔵村山の感染症研究所からのエボラウイルスの漏洩）が起きたら、強硬で急速な隔離政策をとれず、75年ぶりに今度こそ本当の「1億総玉砕」になりうる。

米トム・コットン上院議員の主張

これらの現状を総合して考えると、新型ウイルスの猛威はまだ中国で続いている。中国以外の諸国での発症は総数がかなり少なく、それを見るとウイルスの脅威は大したことないと思えるが、それと対照的に、中国の巨大な封鎖を見ると、かなりの脅威に違いないと思えてくる。今後最も早く状況が改善しても、中国各地の大都市の封鎖が緩和され、経済の再開が始まったと実感できるのが2月下旬から3月上旬、そのあと4～6月にかけて再開が進み、悪影響が終わるのは秋になる。現時点で、中国の都市封鎖は終わるめどが発表されていない。今年の世界経済がマイナス成長になる可能性が増している。

米国では以前から中国敵視だった共和党のトム・コットン上院議員が、新型ウイルス感染の被害は中国共産党の発表よりはるかに大きいはずだとか、まだウイルス問題の解決のメドが立っていないはずだとか、ウイルスは武漢の野生動物市場からでなくウイルス研究所から漏洩したのでないかと言っている。民主党や軍産系マスコミは、コットンの主張を陰謀論扱いしている。だが私から見ると、コットンの指摘の多くは合理的だ。

2月12日

3章　悲観論が正しい武漢ウイルス危機の今後

「武漢ウイルス」をめぐる楽観論・悲観論

中国政府は新型ウイルスの感染拡大のために、1月23日から武漢市と湖北省（合計で人口6千万人）を外部と完全閉鎖して住民に無期限の自宅待機（自宅検疫）を義務づけた。その後、武漢からの人の移動で発症者が少し出ている中国全土の約80の大都市と2つの省でも、同様の封鎖・自宅検疫態勢を敷いた。中国の人口の3分の1にあたる4億人が、外部と断絶された封鎖状態の中で生活している。この封鎖は明確な期限が設けられておらず無期限だ（中国に媚び配慮して「武漢ウイルスと呼ぶな」という風潮が始まっているが、このウイルスは武漢のウイルス研から漏洩した可能性があり、しかも武漢市は中国共産党のウイルス戦争の捨て駒にされている。「武漢」の名は重要だ）。

新型ウイルスには、ワクチンなどの治療薬がないうえ、発症前の無症状な感染者から他の人に移ってしまう。感染したかどうかを判定する検査キットも世界的に不足しているし、検査には設備と時間が必要だ。ウイルス感染を止めるには、町ごと封鎖・隔離して予防するやり方しかない。中国は、ウイルス感染の唯一の拡大防止策である封鎖・隔離を大規模に始めている。1月23日から約2週間に、4億人を封鎖する策を実施したのは驚きだ。封鎖すると、その地域の経済活動がほとんど止まり、学校も娯楽も停止され、経済的、社会的、精神的に大きな苦しみとなる。当然、各地の共産党幹部は封鎖に抵抗しただろうが、中国共産党は習近平の強力な独裁権力を使い、問答無用で封鎖を進めた。

今回の武漢ウイルスがどのぐらい危険なのか、まだわかっていないことが多い。「致死率も低く、毎年のインフルエンザと変わらない」という楽観論も少し前まであった。楽観論に基づくと、大都市を丸ごと隔離するのは習近平の独裁強化を目的にした過剰反応とも思える。日本や韓国、欧州諸国の多くなどは、依然として湖北省以外の中国からの入国の流れを検疫なしで放置しているし、市民は繁華街の人混みの中をのんきに歩いている（世界的に外出時の感染への警戒が強まっているようだが）。中国共産党自身、武漢ウイルスの危険さや、4億人を封鎖している理由について何も発表していない。封鎖されている地域がどこなのかという詳細すら、ネットでいろいろ検索したが出てこない。全体像が曖昧だ。そんな中で、2月10日の週明けから中国各地で工場の再稼働など経済活動が再開されたという話も出ている。楽観論と悲観論のどちらが正しいのかわからなくなっている。

そんな中、習近平は2月10日、武漢発祥の新型ウイルスへの予防と制御を担当している北京市内の病院の一つを訪問した。久々に公の場所に姿を見せた彼はマスク姿で、武漢とテレビ電話をつないだりして担当者らと話し合った後、少し演説した。習近平は演説で「ウイルス感染の状況は依然として非常に厳しく、予防・制御策は膠着した状態が続いている」と述べたと報じられている。2月10日から経済を再開できるなら、こんな長期戦を覚悟した悲観的な発言はしない。「状況は改善している」と述べるはずだ。習近平の悲観論の発露を見て私は、中国のウイルス危機はまだまだ続き、感染者・発症者が増え続け、4億人の封鎖も継続・拡大するだろうと感じた。楽観論は間違っており、悲観論が正しい。

世界経済への影響

前回の記事にも書いたが、中国共産党は経済成長の実現が最大の政治正統性であり、経済成長を止めてまで大都市を次々と封鎖するのは、それだけ国家安全に対するウイルス問題の危険が大きいことを意味する。やはり、武漢ウイルスの感染拡大防止策は、大規模な隔離・封鎖による予防しかないのだ。多くの国は、こんな大規模な隔離・封鎖をやれない。今はまだ中国以外の世界中の感染者が多くないが、今後、中国以外のどこかの国の感染者が大きく増えると、その国は十分な隔離・封鎖政策をやれず、感染が大幅拡大する可能性がある。こうした国の中に日本が入りうる。

2月10日に中国のいくつかの工場が再開されたが、その多くは韓国など諸外国の工場に部品を供給するための工場で、諸外国から懇願・加圧されて特別扱いで再開した感じだ。中国共産党は経済よりウイルスの阻止を優先しており、ウイルスとの厳しい戦いが続く以上、経済の再開は二の次で最小限になる。これから1〜2週間すると、中国の経済は実のところほとんど再開されていないことがバレていくだろう。中国は統計数字をごまかすだろうが、それをどうやって見破るか、ゼロヘッジが考えている。

習近平が発した悲観論は、英国の医学雑誌ランセットに載った、武漢ウイルスの感染者数の概算や今後の予測に関する1月29日時点の研究報告書が、大げさな歪曲でなく実態に近いものであることも感じさせる。ランセットに載った研究は感染のモデルを使った概算で、1月29日の時点で武漢に感染者が7万6千人ぐらいいると概算し（この時点で中国の当局発表の感染者数は7800人だった)、すでに重慶や北京など他の大都市に数百人単位で感染者が移動していると推定した。また今後の予測について、人々の移動への抑止がどのくらい有効かによるが、感染のピークが3月後半から5月、もしくはそれ以降になると予測している。

1月29日の段階では、この研究の感染者数の概算がかなり多いと感じられたが、その後、武漢で感染の検査を受けられない人が無数にいることがわかり、感染者数が中国当局の発表よりはるかに多いと考えるのがむしろ自然なことになった。武漢の閉鎖前に他の諸都市に移った人々から他の市民への感染を防ぐための大規模な諸都市の封鎖も行われ、ランセットが示した筋書きが現実と合致している。ランセットの予測が正しいなら、中国の大規模な封鎖はこれからまだ2~3カ月は続く。これは習近平が2月10日に「事態はまだ膠着状態だ」と述べたことと合致する。あと2~3カ月も中国で感染者が増え続けると、おそらく連動して中国以外の諸国でも感染が増える。世界はかなり危険な状態になる。

中国当局が発表する感染者数は最近毎日3千人近くの増加で一定していたが、これは中国の感染者の検査をする設備能力の合計が1日3千人程度を限界としており、3千人以上検査できないので3千人なのだと推測している人(Scott Gottlieb、米国の医師)がいる。

この推論が正しいかどうかわからないし、3千人よりはるかに少ない日もある。しかし、なるほどと思える推論だ。

英国からはもうひとつ、ロンドンの大学LSHTM（The London School of Hygiene & Tropical Medicine）がもっと楽観的な予測の研究を発表している。2月8日に報じられたその研究も、感染のモデルを分析したもので、武漢での感染者は市民の5％にあたる50万人が感染のピークとなり、2月の中旬から下旬にかけてピークに達する。今の実際の感染者数（50万人近く）は当局発表（1万7千人）よりはるかに少ないが、普通のインフルエンザと区別しにくいので、多くの市民は感染しても新型ウイルスと判別されないでいる。春に近づき気温が上がるので感染の拡大が阻害される。最近の4日間は当局発表の感染者数の増加幅が減少しており、これがピークの接近を示している。武漢がピークになると、少し遅れて他の諸都市の感染者数も山を越える。今後の2週間で、本当にピークがくるかどうかわかる、とLSHTMの研究は結論づけている。

株価をテコ入れしたいトランプ米大統領は2月10日に「中国のウイルス問題は、春になって気温が上がるので4月までに解決する」という楽観的なツイートを発したが、トランプはおそらくLSHTMの研究を見ている。この研究の予測が事実になるなら、再来週には武漢の実質的な感染者の減少が始まる。ランセットの予測より事態の収束がかなり早く、これが現実になると未来がかなり明るくなる。だが、LSHTMの研究の楽観論は、2月10日に習近平が発した悲観的な展望と矛盾している。もしこの研究の通りになっているなら、習近平は「今は膠着状態だ。厳しい戦いが続く」と言わず「まもなく解決する。もう少しだ頑張ろう」と言うはずだ。それにLSHTMの研究は、当局発表が非現実的な数字だと言いながら、当局発表の数字に頼って自論を正当化しており非合理的だ。この研究は、中国共産党から楽観論を出してくれと頼まれて作った感じがする。

2月11日は、中国上層部の専門家(鐘南山)が「ウイルスは2月の中旬から下旬がピークで、4月に終息しそう」との予測をマスコミに発表した。LSHTMの研究とほとんど同じ予測だ。これが実現したら結構なことだが、この楽観論は、2月に入って4億人が隔離され、習近平が10日に悲観論を発したという現実と、大きく食い違っている。「2月ピーク、4月終息」の説は「2月10日から中国の工場が再開」と合わせ、中国共産党が関係筋(媚中の英国、株高希望のトランプや金融界マスコミ)と組んで流布させているプロパガンダの可能性がある。中国共産党は、国内には「長く厳しいウイルスとの戦争」を言い聞かせる一方で、世界には「もうすぐウイルスを打破して経済を再開する」と喧伝している。中国共産党の二枚舌戦法に気づくべきだ。あと2週間もすれば、今回の私の悲観的な見立てが正しいかどうかわかる。楽観論の予測が当たり、私自身の悲観論が外れたら、暗い気持ちの私にとってもうれしいが、現時点で楽観論が正しいとは思えない。

中国に怒られたくない媚中の国々

2月10日には、WHOの事務局長が、中国以外の世界で新型ウイルスの感染が把握されてないケースがたくさんありそうで、発表されている感染者数は氷山の一角にすぎないかもしれないとツイートした。シンガポールの国際会議に出て感染した英国人が、次の旅先であるフランスで会った欧州各国の人々に次々とうつしたことが問題になっている。シンガポールでは中国に行ったことがない感染者が出ており、これから外国の国内での感染拡大がひどくなる兆候だ。症状が出ていない段階で感染してしまうので、国際的な人の出入りが多いシンガポールなどでは、都市ごと閉鎖できる中国より、予防や制御がはるかに難しい。それでWHOが「もっといるかもしれない」と警告を発した。今回のウイルスはグローバリゼーションを逆行させていく。

武漢の閉鎖でウイルスの危険が知れ渡ったあと、世界各国は2種類にわかれている。一つは、米国や豪州など、中国との飛行機の定期便を停止したり、中国から自国への入国者に14日間の検疫を義務づけたりする「中国に強硬姿勢の国々」。もうひとつは、日本や韓国、ドイツなど、中国との定期便を維持し、検疫義務は武漢や湖北省からの入国者のみにしている「中国に怒られたくない媚中の国々」だ。媚中派は目先の経済成長に固執している人々でもある。彼らは、ウイルス蔓延時の経済打撃の方がはるかに大きいことを無視している。中国共産党は、媚中の国々の対応に満足を表明している。だがその一方で、中国共産党は国内で4億人の強制検疫など異様な強硬姿勢をとっている。前代未聞で正体不明の危険なウイルスなのだから、自国を守るには強硬姿勢をとって当然だ。習近平ら中国共産党の上層部は「媚中の国々は馬鹿だな」と嘲笑しているだろう。

4億人を隔離した習近平の2月10日の悲観論を聞くと、やはり武漢ウイルスはとても危険なものであり、中国からの入国者に早くから厳しい対応をとった米国のやり方が正しかったと感じる。ロシアは中国と仲が良いが、早くから中露国境での人的往来を停止したし、その後も中国から赴任してきた領事に2週間の公邸での検疫を求めるなど、中国からの入国者に厳しい対応をしている。それでもロシアと中国の関係は良好だ。諜報機関出身で鋭いプーチンは、すぐにウイルスの本質を見ぬいたのだろう。2月12日には日本でも、危篤な感染者が出ているとか、浙江省からの中国人らも日本への入国を拒否するとか、事態がじりじりと悪化していることがわかる展開が起きている。これからの2週間で、事態が好転しそうには全く見えない。やはり悲観論が正しく、楽観論は株高や媚中、観光・飲食・小売業者がすがりつくプロパガンダである。

2月15日

4章 世界に蔓延していく武漢ウイルス

大転換の日

2月14日は、世界的に武漢ウイルスの蔓延が悪化の方向に大転換した日だった。中国、米国、日本の順に分析していく。中国では、北京への他の地域からの人の流入に対する規制が開始された。北京市民で市外に出た人は、市内に戻ったら2週間の検疫（自宅？からの外出禁止）を義務づけられる。中国の党と国家にとって最も重要な首都の北京を中国の他の地域から隔離することで、北京でのウイルス感染の拡大を少しでも減らそうとする試みだろう。

上海でも同日、市の境界線に検問所を作って自宅や勤務先が市内にない人や車の流入を禁止し始めたという情報がツイッターで流れたが、これは「誤報だった」という指摘もでており不確定だ。中国政府は国内を、最も大事な北京（と上海？）、あまり大事でない残りの地域、ウイルス発祥地で見捨てられた武漢と湖北省、という3種類にわける政策を始めたことになる。中国共産党が、他の地域を見捨てても北京（と上海？）だけは絶対に守る政策をとりはじめたことは、それだけ中国共産党が国内のウイルス蔓延に手こずり、苦戦し、追い詰められていることを示している。習近平は、ウイルスとの総力戦争を宣言し、2月10日には「膠着状態だ」と表明したが、2月14日の事態は中国共産党とウイルスとの膠着状態の戦争で、中国共産党が負けていることを示している。武漢ウイルスは大変な脅威なのだ。

中国政府は、米国など国民に中国への渡航を禁じたり、中国との間の旅客機の定期便を止めたりしている諸国に対し、「ウイルス問題は解決されつつある。渡航禁止や定期便中止は間違っている。早く復旧すべきだ」と提案・要求している。実のところ、中国のウイルス問題は解決どころか逆に急速に悪化しており、中国共産党の要求は世界に脅威を与えるものになっている。今になってわかったのは、米国が1月末に早々と中国との人的交流を断ったのは正しい政策であり、中国共産党の要求を受け入れて中国との人的交流を止めなかった日本など媚中諸国の方が決定的に間違っていたということだ。

2月14日には、上海市当局が300人の発症と1人の死亡を隠していたことも発表された。中国政府はまた、これまで毎日発表してきた感染者数の統計数字の中に未発症者を含まず、発症者だけの数字であることも認めた。中国では検査薬が足りないので、発症しないと検査してもらえない。未発症の感染者の数は今後も不明ということになる。また中国政府は、国内の47万人が発症者と濃厚接触したと発表し、これから感染が急増しそうなことも認めた。2月9日に在米の亡命中国人（郭文貴）が「武漢でのウイルス感染の実数は150万人、死者は5万人だ」と発表し、その時は中国共産党敵視派による誇張策かと思われたが、1週間後の今になると150万人説は誇張でなく「現実的な数字」だ。武漢ウイルスに関する楽観論は間違っており、悲観論が正しいという、前に書いたことがほぼ妥当な感じだ。

より強硬な新戦略へ

中国共産党はこれまで、発表数字のごまかしを全く認めてこなかったが、それがここにきて突然、ごまかしを認め、被害がもっと拡大しそうなことを認め始めた。これは中国共産党が、これまでの感染抑止策がうまくいかなかったと認め、もっと強硬な新戦略に移行したことを意味している。新戦略の一つが、北京と上海だけは感染を最小限に抑える策だ。新戦略のもうひとつは、習近平が2月13日に武漢や湖北省のトップを更迭し、新たに湖北省の共産党書記になった応勇・前上海市長が、すべての発症者を強制的に収容施設（名ばかりの病院）に入れて隔離する政策に踏み切ったことだ。

これは、発症者を積極的に排除して残った人々の感染や発症を防ごうとする策なのだろうが、武漢ウイルスは未発症の感染者から他人に感染するので、発症者だけを目の敵にするのは意味が薄い。検査キットが徹底的に足りないので未発症者の感染を見分ける方法がなく、意味が薄くても強制隔離の徹底しか方法がないと中国共産党は考えたのだろう。発症者の強制収容は人権侵害なので欧米や日本でやるのは無理だが、一党独裁の中国ならやれる。しかし効果は薄い。

中国共産党は、2月10日から経済を再開すると宣言した。米国のアップル社は、2月14、15日から北京と上海の店舗を再開すると発表された。それだけ見ると中国経済が再開されつつある印象だ。しかし、これはおそらく中国共産党が世界に事態の改善を宣伝するためのプロパガンダ策で、中国共産党はアップルに頼んで店を開ける演技をさせただけだ。北京でも上海でも、市民の多くは外出を禁じられ、繁華街の店はほぼすべて閉まっている。

中国共産党はせめて北京と上海だけでも感染拡大を防ごうと必死で、外部からの人の流入を断絶している。市民が楽しくアップルの店でアイフォンをいじれる状況でない。

中国は今、経済の70～80％が止まっている。大幅なマイナス成長だ。世界の株価上昇は全く頓珍漢だ。米連銀や中国人民銀行が市場に資金を注入し、株価上昇を演出している。通販の世界的大手である中国のアリババは2月14日、中国と世界の金融市場のブラックスワン（驚くべき大暴落）が起きそうだと警告した。アリババの物流機能の2割しか機能していない。

米国の対応とウイルス蔓延の可能性

米国では2月14日、米政府のウイルス対策担当部署であるCDC（疾病予防管理センター）の所長（Robert Redfield）が「米国は今、新型ウイルスの国内での蔓延を必死で封じ込めている段階だが、ウイルスが米国内に感染拡大の根を下ろしてしまった可能性もある。ウイルスは米国でも蔓延し、感染問題は今年じゅうに終わらず、来年まで続くかもしれない」と警告した。米政府は、全米の11か所の米軍基地内の既存施設をウイルス感染者の隔離用に用意し、感染者の拡大に備えている。米国ではまだ15人の感染者しか出ていないが、今後は感染者がかなり増えるかもしれないとCDCは考えている。米軍も、感染が急拡大した場合の対応策を発表した。米国は、中国からの武漢ウイルスの流入に対して世界で最も厳しい措置をとってきた国の一つだ。

その米国でさえ、ウイルスが蔓延する可能性が高まっている。しかも、蔓延が来年まで続くかもしれないという予測だ。これは衝撃だ。日本や中国では「ウイルス問題は3月に終息していく」との楽観論が流布し、米国でもトランプ大統領が同様の楽観論を発しているが、これらは政治的な目的を持った甘すぎる予測・プロパガンダなのだ。北半球が春になって気温が上がるとウイルスが死ぬ、とトランプやその他の人々が言っているが、年中気温が高いシンガポールやタイで感染が広がっているのでそれは違うぞと専門家が米議会で証言している。

世界で最も優秀だと喧伝されるCDCの長官が「来年まで続くかもしれない」と言っている。これが一番正しい予測だと考えるのが自然だ。中国でのここ数日の事態の悪化を見ても、簡単に終息しないことがわかる。早めに終息したらありがたいが、そうならない可能性がかなり高いと、全人類が肝に銘じるべきだ。長く厳しい戦いが続く。驚くほど多くの人が発症し、死者も多く出る。私自身も含まれる可能性がかなりある。こうした予測が大外れになって私がネットで嘲笑されることを祈る。

11か所の米軍基地に合計1000人分の隔離施設を設ける話は2月11日に最初に報じられ、その時はまだこれほどの大惨事が予測されていなかったので、また軍産の大げさ話かと思ったが、そのわずか3日後、この隔離施設の設置が当然だと思える事態になった。

ゼロヘッジによると、米保健福祉省のアレックス・アザー長官は2月14日に出演したCNNテレビで、米政府が中国だけでなく、日本やシンガポール、香港など、感染が拡大している中国以外のアジアからの外国人の入国も禁止する規制拡大を検討していると表明した（それらの地域から帰国した米国人は米軍基地内で2週間の検疫）。ゼロヘッジからたどれるアザーの発言のCNNの動画にはそのくだりが出てこないのでゼロヘッジが誇張した疑いもあるが、むしろ動画に収録されていない部分で発言したとも考えられる。

日本やシンガポールの事態は急速に悪化しているので、CDCが入国規制の拡大を検討するのは自然だ。規制拡大が実施されると、日本人は米国に行けなくなる。日本にとって経済的、政治的に大打撃だ。日本は、ウイルス対策の初動が媚中的で甘すぎたため、唯一絶対の同盟国・従属先だった大好きな米国から入国禁止の縁切りをされてしまう。日米同盟の行く末として象徴的だ。トランプは以前からすべての同盟関係に懐疑的だ。ドゥテルテのフィリピンはすでに先日米国との縁切りを決めた。

刻々と状況が変わっているので、とりあえずここまでで配信し、続きはまた書く。

2月18日

5章　世界に蔓延していく武漢ウイルス　その2

なぜ日本政府は無策なのか

前回の記事で、2月14日が新型コロナウイルス（COVID-19）の感染状況が世界的に転換した日だったことを書いた。2月14日は、日本にとっても新型ウイルス問題が大きく転換した日だった。日本政府はこの日、それまでの中国から国内へのウイルス感染者の流入を止める「水際政策」の破綻・失敗を認め、日本国内での感染・発症拡大が避けられないと言い始めた。

新型ウイルスは未発症の人から他人にどんどん感染するので、感染拡大を止めるのが困難だ。中国では、感染を拡大するため合計4億人が住む大都市や省を閉鎖し、住民は厳しい外出制限・自宅待機を命じられ、中国全土の無数の村落や集合住宅が入り口に検問所を設けて人の出入りを制限するミクロ的な究極の水際政策をこの3週間ほどやっている。中国の各都市の繁華街はゴーストタウンだ。治療薬がない新型ウイルスの対策は、外出禁止や地域の閉鎖しかない、というのが中国の先例から見て取れる。私は、日本でも政府が人々の外出制限や企業の業務縮小を要請するのではないかと思ったが、そんなことにはまったくならなかった。

日本政府が国民に言っていることは「感染拡大を止めるのは難しい（国民の5％つまり600万人ぐらいまでの感染を覚悟せよ）」「感染しても多くの場合は軽症や無症状で終わるので心配するな」「各自、うがいや手洗い、睡眠などによる免疫力の強化をやってください」といったことだ。1945年の敗戦直前に政府が国民に「本土決戦です。米軍と竹槍で戦ってください。無理なら集団自決してください。神風が吹いて日本はきっと勝ちます」と言っていたような感じだ。通勤ラッシュは続き、繁華街では依然として宴会が続けられ、各種のイベントの多くも予定通り開かれている。中国のように役所が繁華街で消毒液を撒き始めたりもしていない。4億人の大都市閉鎖など強行策をやった中国と対照的に、日本は「無策」だ。発症者が出たら、その周辺の人々の感染を検査する後追い政策しかやっていない。

日本が無策なままなのは、経済成長を止めたくないからだ。国民に外出制限を要請したら、小売店や飲食店の売り上げが激減し、政府が非難される。中国は経済を止めたが、日本は経済を止めたがらない。日本だけでなく、韓国や東南アジア諸国など、感染が少しずつ増えている他の諸国も、この点に関しては変わらない。日本だけが無策なのではなく、中国だけが強硬なウイルス対策をやっている。発生地の武漢が国内にあるのだから中国の強行策は当然ともいえるが、周辺諸国はこんな無策で良いのか？　日本や韓国などアジア諸国の多くは、政治的な中国への配慮・媚中と、経済的な成長急減への恐怖から、水際政策も国内感染拡大抑止策も無策に近い。だが、意外にも「神風」的なものが吹いている可能性がある。それは、感染を重ねるほどウイルスの重篤性（病原性、致死率）が低下することだ。

横浜港のクルーズ船以外の日本と、他の周辺諸国との、把握されている感染者数の推移をざっと分析すると、日本の感染者数は、他の諸国と大差ない。2月17日の時点で、日本40人、韓国30人、シンガポール58人などだ。日本と韓国の感染者数の推移を見ると、おおむね日本が韓国の2倍弱で推移してきた。日本が韓国の3倍の人口であることを考えると、日本が異様に多いわけでない。人口比で言うとシンガポールが異様に多い。韓国の感染者は2月10日の27人から2月17日の30人へと、1週間で3人しか増えていない。マカオの感染者は、1月27日の7人から2月17日の10人へと、3週間で3人しか増えていない。これらの傾向が今後も変わらないなら、周辺諸国の感染者数はこれからの1か月間で1か国あたり最大でも数十人だろう。中国本土の感染者数と比べるとごくわずかだ。

韓国やマカオは、日本よりも中国との距離が近いし、人的交流も多い（中国在住の外国人は韓国人が12万人で最多、日本人は6万人。韓国在住の外国人の7割が中国籍）。新型ウイルスの感染も、韓国やマカオの方が日本より先に広がっていると推定される。その韓国とマカオで、1月下旬から2月上旬まで感染者が増え続けたが、その後はあまり増えなくなっている。そこから推定されるのは、日本の感染者の増加幅の変化が、韓国やマカオより1～3週間遅れて発生し、それで2月14日ごろからの増加幅の増大になっているのでないか、ということだ。この推定を延長すると、2月末以降は日本も感染数の増加が減ると考えられる。中国本土でもここ数日、政府統計を信じるなら、湖北省以外の場所での感染の増加幅が減っている。

そもそも各国とも、いわゆる「感染者数」として発表されている統計人数は実のところ感染者の総数でなく、「発症者数プラスアルファ」だ（プラスアルファは、発症者の周辺で検査を受けて未発症だが感染しているとわかった人々）。新型ウイルスは未発症の感染者からも他人にうつるうえ、症状の重篤性（病原性）が弱いので、感染しても未発症や軽症で終わる人が多い。検査キットが足りないので、未発症や軽症の人は検査してもらえず、感染者の統計数字に入らない。日本ですでに数千人から10万人以上が感染しているかもしれないと言われているが、発症者は数十人だ。発症者が出ると、その周りの人々（集団＝クラスター）を全員検査するので、未発症の感染者の存在もわかるが、それ以外の（クラスター外の）人々は未発症や軽症なら検査されないままだ。

武漢で発症者が多く諸外国では少ない謎

感染者のほとんどは、未発症か軽症で、検査されないまま治癒する。彼らは感染の自覚がないので普段の生活を続け感染を拡大するが、それで感染させられた人の多くも未発症や軽症で普通の生活を続けるので、さらに感染が拡大される。ＷＨＯが新型ウイルスの致死率を2％と発表したが、これは母数が「感染者総数」でなく、その１００分の１以下の「発症者数プラスアルファ」だ。実際の感染者総数で死者数を割った本物の致死率は０・02％とか、毎年のインフルエンザと大差なくなる。

その一方で、中国の武漢市や湖北省では何万人もの人が発症しているのも事実だ。武漢市よりも湖北省の僻地、湖北省よりもその他の中国、中国よりも日韓アジア諸国の方が、発症者の数が桁違いに少ない。これは単に遅行性の問題なのか？　いずれ、武漢から遠い諸外国でも発症が急増して4～6月ころには毎日世界で数万人ずつが発症していくのか？私は最近までそれを恐れていた。前回の記事の悲観論はその前提で書いた。しかし、これまでのアジア諸国での感染拡大の流れを見ると、そうはならないとも思える。諸外国での増加幅は多分、これからも大したものでない。

ウイルスは、人から人に感染し続けて代を重ねていくほど、重篤性（病原性、致死率）が下がると言われている。ウイルスは、感染を急拡大するため、1次や2次の感染者の体内では大量のウイルスを増殖させ、重篤な症状を引き起こすが、その後どんどん拡大して人類全体の中である程度の感染者を作ると、感染者を重症にして殺すのでなく、軽症や未発症のまま生かしてウイルス自身の種の保存を重視する態勢に変わる。そのような学説をいくつかの場所で見た。この説は、発症の武漢での多さと諸外国での少なさを説明できる。この説の現象が今回の新型ウイルスで起きているなら、日本など諸外国での発症はあまり増えていかない。

中国では各地で住民に外出禁止・自宅検疫・自宅軟禁を強いてきた。これは感染拡大を防ぐ効果があっただろうが、同時に、自宅に閉じ込められた人々の体力・免疫力が低下し、外出禁止前にすでに感染していた人々が発症し、感染していなかった同居家族が感染発症して犠牲者が増えることも生んでいる。日本でも、人々が狭い部屋に閉じ込められ続けたクルーズ船内で多数の発症者が出ている。感染者が見つかった時点で、そこに居合わせた全員にその場で2週間かそれ以上の検疫・軟禁を強いるのが、中国を中心とする、新型ウイルスに対するこれまでの対策の考え方だった。

だが、このやり方は閉鎖地域外への感染を防ぐ一方で、閉鎖地域内での感染を増やしてしまうことがわかった。そのため横浜のクルーズ船は、各国が飛行機を出して船内の自国民を引き取っていく解散方式に転換したのだろう。中国も、2月17日の週明けから、武漢・湖北省以外の地域の閉鎖を解いていくことにした。

カンボジアでもあったクルーズ船対応

新型ウイルス感染を疑われたクルーズ船は、横浜港に停泊したもの以外にも何隻かあった。そのうちの1隻は各国に入港拒否された挙句、最終的にカンボジアのシアヌークビル港に受け入れられ、入港の翌日に乗客の大半が下船し解放された。カンボジア政府が、この船（ウェスターダム号）に対してとった策が、日本政府の策と対照的ですごい。

ウェスターダム号は２２００人の乗客・乗員を乗せ、２月１日に香港を出港した後、フィリピン、日本、グアム、タイなどに寄港を断られた後、２月13日にシアヌークビルに入港した。その間も船内ではずっと乗客の行動制限はなく、みんなが歓談しつつ食堂で食事し、イベントも予定通り行われ続けた。２月11日に乗客全員の体温が測定され「誰も感染していない」と結論づけられた。２月13日の入港後、カンボジア政府は何らかの症状が出ていた20人を検査したが感染者はいなかったと発表した。翌２月14日、乗客は行動の自由を得てカンボジアに上陸し、そのうち１４５人がマレーシアに飛行機で移動したが、マレーシア到着時の検査で80歳の米国人女性が新型ウイルスに感染していることがわかった。クルーズ船会社は「何かの間違いだ。再検査したら感染していないとわかるはずだ」などとコメントを発表した。

ウェスターダムから乗客が降りる時にはカンボジアのフンセン首相もマスクをせずにやってきて歓迎した。入港を見物にきた市民たちはマスクしていたが、政府要員が見物人にマスクを外せと命じた。下船した乗客たちもマスクしていなかった。これらは、ウェスターダムに感染者はいないという宣伝だった。しかし、そもそも人口10万人のシアヌークビルには新型ウイルスの感染を検査する設備がない。カンボジア当局は、下船時に20人に簡単な検査をしただけだった。マレーシアで感染が見つかった女性は、その20人に含まれていない。

独裁的辣腕で親中国なフンセンのカンボジア政府が、クルーズ船の運営会社から依頼(贈賄?)されて下船時の検査を甘くしたのでないかと疑われたが、大した騒ぎにならず、残りの下船した人々はそのまま帰路につき、世界に散らばった。現時点でそれから3日たっているが、世界に散らばった下船者たちの中からさらなる発症者が出てきたという話はない。日本に帰国した4人は陰性だった。冗談が通じる状況でないと知りつつあえて書くと、日本とカンボジア、どちらの政府のやり方が「正しかった」のか? 新型ウイルスをめぐる世界的なミステリーが続いている。

2月20日

6章　新型ウイルス関連の分析

ロシア政府が中国人入国を全面禁止

ロシア政府が新型コロナウイルスの感染拡大をおそれ、2月20日から、すべての中国人の入国を禁止し始めた。すべての中国人の入国を完全に禁止したのは世界で初めてだ。中国敵視のトランプの米国でさえ、米国人の中国渡航は禁じたが、中国人の入国は禁じていない（14日間の検疫が必要）。ロシアは中国、プーチンと習近平は強い盟友の関係だったのに、今回のロシアの中国人入国禁止で露中関係が悪化するのでないかと指摘されている。それに、なぜ今のタイミングで入国禁止なのか。

ロシアが今のタイミングで中国人の入国を全面禁止したのは、経済の再開を重視する中国政府がこれから従来の厳しい国内諸都市の封鎖を少しずつ解いていくからだ。封鎖解除とともに、中国国内の人的の交通がしだいに増えていく。同時に、中国国内の閉鎖で激減していたロシア（や日韓など周辺諸国）にやってくる中国人も少しずつ再増加する。中国政府が、新型ウイルスの感染問題を完全に解決できたので国内の封鎖を解除していくなら良いが、実際はそうでなく、これ以上経済の再開が遅れると、習近平の独裁と、中国共産党の統治の正統性が失われかねないので無理をして封鎖解除・経済再開を進めている。

中国のウイルス問題はまだ解決していない。経済再開の途中で中国の発症者が再増加するおそれがある。中国共産党の機関紙である人民日報がそう書いている。今後、中国からロシア（や日韓）に渡航が増加する人々の中には、ウイルス感染して未発症・未発熱な人が含まれている。その手の人々を国境や空港で察知することは不可能だ。新規入国の中国人の一定割合が、ロシアに入国してから発症し、もしくは未発症なまま、ロシア国内で感染を広げる。ロシアはこれまで発症者を出さないできた。ロシア政府の発表では感染者（発症者）が2人しかいない（発表が事実かどうか不明だが、それは日本も同じだ）。ロシア政府は、中国人の入国が再増加する前にとりあえず全面禁止にしたのだろう。プーチンのロシアはこのような中国の事情を把握し、それを理由に入国禁止を挙行したので、習近平の中国共産党はロシアに公式な抗議をしていないし、おそらく非公式にも抗議していない。ロシアの事情も理解できるからだ。中露関係は今後も良好だろう。

（ロシアに入国した中国人の中には、極東地域などで物資や不動産の買い占めなどをやって荒稼ぎしている者が多く、そうした中国商人がロシアで嫌われている。彼らをもう入国させないという意図もありそうだ）

ロシアは賢明にも中国人を入国禁止にしたが、日本や韓国は依然として何もしていない。日韓は、中国人を入国禁止にしたら習近平に激怒されて陰湿に制裁されるのか？　中国から見て、ロシアは自国と対等な地域覇権国（国連Ｐ５）だが、日韓は「中国の属国」なので入国禁止は許さないとか？　そんなことはないだろう（多分）。日韓がロシアの真似をして中国人を入国禁止にしても、中国は本格的に怒らない。表向き不快感を表明する程度だ。ならば、日韓も中国人を今すぐ入国禁止にするのが良い。

日本や韓国は、すでに国内感染が広がっているからいまさら中国人の入国を拒否しても無意味なのか？　それも違う。新型ウイルスは、感染を重ねるほど発症時の重篤性（致死率、病原性）が弱まる。日韓での国内感染の多くは、すでにいくつもの感染を重ねてきた高次の感染ウイルスで、重篤性が弱い。だが中国から新たに入国してくる人々が保有するウイルスの中にはもっと低次で発症時の重篤性が高いものがより多く含まれている。中国はウイルス発祥地の武漢を抱えているのだから、そう考えるのが自然だ。中国人の入国禁止は、今からこそやるべきだ。ロシアを見ると、それが感じられる。ロシアに学ぶべきだ。しかし、日本も韓国も「小役人体質」なので多分そんなことはしない。多くの人がずっと前から、中国人の入国を止めるべきだと日本政府に進言しているのに無視されている。残念だ。

無理して経済再開を進める中国共産党

中国共産党は2月17日の週明け以降、しだいに経済の再開を優先し、封鎖対象地域を縮小している。封鎖対象の人口は4億人から1億5千万人に減った。要人やエリートが多く住む首都の北京は外部からの人の流入を止めている。ウイルス発祥地の武漢や湖北省は閉鎖をより厳重にして、ウイルスの漏洩を止めようとしている。最上位の北京と、最下位の湖北を閉鎖した上で、残りの中国での封鎖を少しずつ解き、経済活動を再開しようとしている。

ゴールドマンサックスによると、中国経済の需要の総合計は前年同期より66%少ない。先週まで中国経済の70~80%が止まっていると言われていたので、10%前後が再稼働したということか。まだ出勤の再開を許されていない人が大半で、各地の外国企業が徹底的な人手不足に困窮している。しかし、困っているものの、注目点は「企業を完全閉鎖せねばならない苦悩」から「企業を再開し始めたが人手が全く足りない」に変わっている。中国政府は「国有企業の95％が事業を再開した」と発表したが、ほとんどの中国企業は稼働率が10％以下だろう。

新型ウイルスはまだ不明な部分が多いので、これから感染・発症の再拡大がありうる。それで中国経済の再開が頓挫すると、中国共産党と習近平の政治的正統性に対する信用問題になりかねない。経済再開は、世界資本家たちから中国共産党への強い要望（命令？）でもある。中国共産党は無理をして経済再開を試みている。綱渡り状態だ。

クラスター数の増加幅で決まる

日本と韓国の新型ウイルス発症者（確認された感染者数）が増えているが、その深刻さを考える場合、発症者の人数よりも、クラスター（1人の発症者から感染が拡大した感染者集団）の数が重要だ。既存のクラスター内の感染者数がどんどん増えても、クラスターの総数があまり増えなければ、市中感染（発症するほど強い感染）の拡大がそれほど深刻でない。クラスター内の感染・発症はいずれ止まる。だが、クラスターの増加が加速すると、それぞれのクラスター内での感染・発症が重なり、発症者数の増加幅が大きくなり、事態が深刻になる。

これまでは日本も韓国も、クラスター数がどんどん増える感じはなかった。しかし、今後はわからない。これから2週間ぐらい経ってもクラスター数が急増しなければ、国内に入ってきている新型ウイルスのほとんどは重篤性の弱いものだった可能性が大きくなるが、そうでない場合は困ったことになる。

2月27日

7章　新型ウイルスとトランプ

アフガン停戦から撤退へ

アフガニスタンで、米国とタリバンの停戦がうまくいっている。トランプの米政府は、基本戦略である世界からの撤兵を進めようと昨夏、タリバンと交渉して停戦から米軍撤退につなげようとしたが、当時はまだ米政界で軍産複合体の力が強く停戦合意できず、9月に米側が交渉を破棄した。その後、トランプは10～12月に自ら弾劾騒動を誘発して稚拙な弾劾決議を軍産傘下の民主党にやらせて自滅させ、トランプ陣営が容疑者のロシアゲートを軍産・諜報界が容疑者のスパイゲートに転換させ、世界撤兵に反対してきた軍産の力を弱めることに成功した。同時期にトランプはシリアから撤兵した。今年1月、トランプはイランのスレイマニを殺害してイランを激怒させて反米の方向に誘導し、イラクで駐留米軍撤退運動を引き起こし、イラクからの米軍撤退も時間の問題になった。

そして米国は1月から、アフガンでもタリバンとの停戦交渉を再開し、2月22日から1週間の停戦を開始した。２００１年のアフガン侵攻以来、本格的な停戦は初めてだ。１週間の停戦がうまくいくと、停戦はさらに延長され、米軍撤退につながっていく。停戦が合意されたとたん、昨年9月に行われたものの結果をめぐって紛糾し未決になっていたアフガン大統領選挙も、5か月ぶりに現職のガニ大統領の勝利で決着がついた。アフガニスタンは米軍侵攻から19年ぶりに、米軍撤退とその後の安定に向かって進み始めた。

アフガンで停戦が発効している最中の2月24～25日に、トランプはインドを初めて訪問した。米国とインドは高関税をかけあって貿易戦争してきたが、貿易面での協定など新展開は何もなかった。トランプの目的は経済でなく、インドに対して「米国撤退後のアフガニスタンの再建に参加してほしい。米軍がうまく撤退できるよう協力よろしく」と頼みに行ったのだろう。

トランプは最近、昨年9月にインドのモディ首相が国連総会出席で訪米した時に開いたインド系米国人の大集会にわざわざ参加するなど、インドと仲良くする演技を派手にやっている。半面、インドの敵であるパキスタンや、その背後にいる中国に対しては冷淡だ。

しかし実のところ、米国のタリバンとの和解やアフガン撤兵で得をするのはパキスタンと中国であり、インドではない。アフガニスタンで最大の軍事・政治勢力であるタリバンは、もともとパキスタンが創設した組織だ。米国がタリバンと和解するにはパキスタンとの連携が必須だ。トランプは表向き親インド・反パだが、実質はそうでもない。インドは、米国のアフガン撤退によって開いた国際政治力の空白を中国パキスタンが埋めて台頭と予測し、恐れている。トランプは、懸念するインドをなだめに行ったのだ。

米国の撤退後、アフガニスタンは中国、ロシア、パキスタン、中央アジア諸国、イランによって安定化がはかられる。主導役は中露だ。トランプのアフガン撤退は、イラクやシリアからの撤兵と並び、中露イランを強化する多極化・米覇権放棄策の一つである。インドは、トランプの要請通りにアフガン再建に協力する場合、中露など非米諸国と仲良くし、多極化の流れに乗らねばならない。トランプはインドに「米国より中露と仲良くしてやってくれ」と言いに行ったようなものだ。「インド太平洋」と銘打った、米国の中国包囲網は全くの見せかけである。

米軍は今後、アフガン撤退と同時に、インド洋の公海警備の任務からも外れていくだろう。海賊の脅威があるインド洋を航行する日本など同盟諸国の商船は、これまで米軍に守ってもらえたが、今後はしだいにそれがなくなる。だから日本は自衛隊の艦船をインド洋・中東に派遣せねばならなくなった。自衛隊の派兵は「米軍と一緒に戦争する」ためでなく逆に「米軍が撤退した後の航路の安全確保」のためである。中国や韓国も航路防衛のためにインド洋に海軍を出しており、日本はこの面で中韓との協力が不可欠だ。中国はすでに安保面で日本の「仮想敵」でなく反対の「友好国」である。米国のアフガン撤兵は世界の覇権構造を転換している。

米中の覇権拡大競争

1月23日に中国政府が新型コロナウイルスの蔓延を止めるために武漢と湖北省を封鎖し、国内に非常事態を敷いた後の2月2日、トランプはポンペオ国務長官を中国に隣接するカザフスタンに派遣し、カザフ政府に「中国とつき合うのをやめて米国と仲良くしよう」と持ちかけたり、中国で弾圧の対象にされているイスラム教徒の聖職者集団と会談して「米国は中国と違って信教の自由を尊重するよ」と表明したりして、中国に対する「嫌がらせ外交」を展開した。ポンペオはその後、最近中国との経済関係を拡大している東欧やウクライナにも行って「中国とつき合うな」と言っている。

フィリピンのドゥテルテ大統領が2月中旬、米国との安保協定（VFA、駐留米軍に治外法権を付与）を破棄し、米国と縁切りしたのも、トランプ政権がミンダナオでの麻薬取り締まりを人権侵害だと攻撃してドゥテルテ側近のフィリピンの上院議員（Ronald Dela Rosa、元警察長官）の米入国を拒否したことが直接の理由であり、トランプがフィリピンを米国側から中国側に追いやったことになる。米比間のVFAが実際に失効するのは半年後だが、米政府はフィリピン側に対して遺留工作をやろうとしていない。米国は、これまで米国にとって中国沖の「不沈空母」の一つだったフィリピンが中国の属国に転じるのを黙認・歓迎する「隠れ多極主義」の姿勢をとっている。

2月21日に開かれたミュンヘン安保会議では、米国の代表者たちが「（欧米にとって）中国が最大の脅威だ」と宣言している。米国はEU諸国に対して「中国ファーウェイの5G技術を使うな」とも言い続けている。また国防総省は「中国と戦うための新兵器の開発が必要だ」と表明している。トランプ政権は、中国敵視の姿勢を強めているが、その一方でアフガン撤兵など、中国が覇権拡大しやすいような動きを加速している。トランプがこのような姿勢をとるのは、中国を怒らせ、中国が米国に対抗する覇権拡大の試みを強めるよう仕向けるためだろう。

中国は、いずれ新型ウイルスの巨大な危機から立ち直った後、以前より米国に配慮することなく、覇権拡大を進めることになる。ウイルス危機は習近平政権もしくは中国共産党の独裁体制を転覆するのでないかといった見方もあるが、それは間違いだ。今回のような巨大な危機は有事体制をもたらし、現職の権力者を優勢にする。習近平も安倍もいろいろ批判されているが、政権転覆にはならない。

ウイルス危機の犯人は軍産?

米中関係の現状と今後を考える場合、重要なのは「米国(軍産)が、今回のウイルス危機を起こしたのかどうか」という点だ。中国政府のこれまでの説明どおり、ウイルスが野生のコウモリから他の野生の哺乳類に自然界で感染し、その哺乳類が武漢の野生動物市場で売られる過程でヒトに感染し、ヒトからヒトに感染拡大していった、という話が事実なら、ウイルス問題は米中関係と直接に関係ない。中国が困っているのを見て、トランプ政権がちょうどいい機会だと考えて中国に嫌がらせ外交を展開し、中国を怒らせているという話になる。この場合、トランプはたまたま発生したウイルス危機を奇貨として中国に嫌がらせし続けている。

ウイルスが、武漢のウイルス研究所などの実験室からの漏洩だったとしても、その漏洩の過程で軍産（米諜報界）が全く関与しておらず、中国側だけの研究所の職員の過失でウイルスが漏洩した場合も同様だ。しかし、同じ研究室からの漏洩でも、米諜報界のスパイにさせられてしまった研究者（中国の研究者の多くは米国への留学経験があり、そこでCIAなどに脅されたりほだされたりしてスパイになる可能性がある）が研究所内にいて、その者が何らかの方法で動物実験中のウイルスの漏洩を引き起こした場合は、軍産が今回の巨大なウイルス危機の犯人になる。中国共産党の上層部が、今回の危機を米国に引き起こされたことを把握しているなら、これは米中のある種の戦争になる。

1月23日に武漢を閉鎖した直後、習近平はウイルスとの戦いを抗日戦争にたとえ、それ以来、事実上の有事体制を組んでいる。今回のウイルスが野生動物による自然現象だったとしても「これは戦争だ」と言って有事体制を組むことは不思議でない。しかし、中国の人口の3分の1を封鎖して感染拡大を強硬に抑えようとした中国共産党上層部の初動の異様さを見ると、これが米諜報界による攻撃・破壊活動だと考える選択肢が出てくる。米国からの攻撃でなかったら、中国共産党は、これほど劇的で大規模な封鎖戦略をとらなかったのでないか、と考えられないだろうか。封鎖戦略は、封鎖された地域（家庭内、病院内など）での感染拡大を煽ってしまうという大きなマイナス面があり、中国共産党はこのマイナス面も当初からわかっていたはずだ。それでも劇的な大規模封鎖を挙行したのは、米国からの攻撃だとわかったからでないか。

こうした推論は根拠がないので「陰謀論」と罵られても仕方がない。今回のウイルスは、感染力はものすごいが発症時の重篤性が意外と低い。中国共産党が劇的な大規模封鎖策をとった理由は、ウイルスの感染力がすごかったからであり、米国からの攻撃だったからでない、と考えることもできる。しかし、今回のウイルス危機はタイミング的に、世界の覇権が米国から中国に移りつつある時に発生している。先の2度の世界大戦がそうだったように、覇権の移転時には、覇権移転を推進しようとする側と阻止しようとする側の暗闘が高じて、大規模な戦争・世界大戦が誘発されやすい。今は米国と中露の両方が多数の核兵器を持っており、世界大戦をやれない。それで、世界大戦の代わりに今回のウイルス攻撃を、軍産が中国に仕掛けたのでないか、といった歴史的な推論が成り立つ。

今回のウイルス危機は、中国を痛めつけるだけでなく、世界の実体経済を大不況に陥れる。米日欧の中銀群がいくらＱＥ（Quantitative Easing、量的緩和策）で資金注入しても、一昨日から起きているような株価の世界的な暴落が止められなくなる。米国中心の巨大な金融バブルが、前倒しで崩壊していく。崩壊は、米国覇権を金融面から消失させていく。中国経済も破綻するが、中国はまだ新興市場であり、実体経済の成長余力がある。金融バブルを意図的に潰す策も、習近平の就任時からやっている。ウイルス危機は、米覇権を崩壊させる。

軍産の目標は、米覇権の維持である。軍産が中国でのウイルス漏洩を誘発したのなら、ウイルスは米国のバブルと覇権の崩壊を引き起こすので、米覇権の維持という軍産の目標に反している。軍産犯人説は、やはり間違いか？　いやいやそうでない。9・11以降の軍産の内部には、軍産っぽいことを過激にやって失敗・覇権消失につなげてしまう「軍産のふりをした反軍産」のネオコンがいる。トランプも覇権放棄のやり方としてネオコン戦略を採っている。今のネオコンは、具体的な人物・勢力を指すのでなく、ネオコン的な近視眼的な過激策をわざとやる勢力全体を指している。イラク戦争以来、米国の軍産は、ネオコンというウイルスに感染してゾンビ化している。

武漢で研究所からのウイルス漏洩を引き起こしたのがネオコン的な軍産・米諜報界であるなら、中国を痛めつけるだけでなく、最終的に世界的な金融崩壊を引き起こして米国覇権を消失させることを十分に把握した上で、巨大なウイルス危機を引き起こすことが十分にあり得る。ネオコンっぽいシナリオは、いずれ犯人が米国側であることがわかるように仕組まれていたりする。イラクの大量破壊兵器、イランの核兵器開発疑惑やスレイマニ殺害、シリアの化学兵器使用をめぐるＯＰＣＷ（化学兵器禁止機関）のインチキ報告書などが先例だ。今回のウイルス危機がどうなるか注目だ。

日本政府の無策の原因は米国の覇権放棄

米国の覇権放棄は、今回のウイルス危機に対する日本政府の対応にも表出している。戦後の日本は国家の「安全保障」に関する重要な政策や意思決定をすべて「お上」である米国に委ねる強度な対米従属策をとってきた。だが冷戦後、米国は日本（などあらゆる同盟諸国）に頼られることを嫌う傾向を強め、トランプ政権になってからそれが加速した。そんな中で、世界各国の安全保障の重大事である今回のウイルス危機が起きた。この危機が、以前の対米従属の体制下で起きていたら、米政府が日本のウイルス対策の基本方針も裏で作ってくれて、日本の政府や官僚はそれに沿って動くだけの「小役人」で十分だった。横浜のクルーズ船は米国の船会社なのだから、米政府が指揮して対策してくれたはずだ。

しかし、今のトランプの米政府は同盟諸国に非常に冷淡に接する覇権放棄策を採っているので、日本に対して何も指導せず、クルーズ船の対策でも船会社が米国なのに動かず、日本政府のやり方が全くダメだとわかってから、批判したり、米国人を帰国させたりする他人行儀な策に終始した。国家安全の重大事に際し、米国（お上）が主導してくれることで政府内の結束を作る仕掛けになっていた日本では、米国が何もしてくれないので、無策なだけでなく政府内の結束すらとれず、ウイルス対策は見事に失敗し続けている。日本政府が動かないので、ウイルスへの具体的な対策の多くは都道府県に丸投げされている。クルーズ船から下船した感染者の搬送先や搬送手段を手配したのは、日本政府でなく神奈川県だった。

有事の際に権力者の指導力への依存が強まるのはどこの国でも同じだが、日本の最高権力者（お上）は米国政府なので、今回のような有事に米国が動いてくれないと、日本政府は指導者不在のまま、完全な機能不全に陥ってしまう。安倍など歴代の首相は、日本の指導者でなく、米国の下につく「中間管理職＝小役人」である。小役人国家である日本の特徴が露呈したのが今回の危機だ。

今回のことを教訓に、もう米国は日本の指導役（お上）でないのだ、ということに日本の上層部が気づき、米国に頼らず日本国内で完結する権力構造や危機管理体制を作ることが必要だ。しかしまだ日本では上層部から国民までの多くが、米国の覇権喪失や、対米従属策の不能性に気づいていない。早く気づけば、これから改善していける。だが今のように、人々が「日本政府はダメだ」というばかりでなぜダメなのか考えない状態が続くと、日本は失敗を繰り返すばかりで改善できず、国や社会の力が浪費されていく。中国との国力逆転がひどくなり、アジアの地域覇権国である中国の属国になっていく。安倍が習近平の訪日を強く実現したがっているのは、その流れだ。

3月6日

8章

長期化するウイルス危機

ウイルス終息は時期も道筋も不透明

新型コロナウイルスの感染拡大が長期化する可能性が高まっている。2月の中ごろには、3月に感染拡大が終息するといった予測が日本や中国で出ていたが、今やその可能性はとても低い。中国は発症者（中国では発症していない人を感染者に含めていないので、中国の「感染者」の人数は実のところ「発症者」だ）の日々の増加がかなり少なくなっており、これを見て「事態は終息に向かっている。中国の3月終息予測は正しい」という見方もあるが、それは間違いだ。

中国政府は、都市や地域、村落、集合住宅などを強力に封鎖して自国民の行動を極限まで制限する策をとることにより、感染の拡大を低くしてきた。これ自体は、世界へのウイルス蔓延を防いだ良策（ウイルスの発生源としての責任をとった策）だったが、中国が今後国民の行動制限を解いていくと再び感染の拡大がひどくなる。未発症・無発症なウイルス感染者が多数いるはずで、そこから感染が再拡大する。これは不可避だ。感染をできるだけ拡大せぬよう、時間をかけて少しずつ制限を解いていくしかないが、それは長い時間がかかる。閉鎖する時より、閉鎖を解いて再開する時の方が大変だ。日本政府が2月27日に全国の学校の休校を決めたとき「休校する時より、感染再拡大の恐れなど、再開する時の方が大変だ」と言われたのと同じだ。

制限をかなり解いても感染が拡大しなくなった時が「終息」であるが、それはまだかなり先だ。しかも、中国共産党が国内の行動制限を解くと、海外からの人の流入も再開され、流入する外国人や帰国者の中には未発症な感染者が一定の割合で含まれており、そこからも感染が再拡大する。短時間で結果がわかる検査キットが出現しない限り、入国時に見分けることは不可能だ。中国だけ終息しても、世界が終息していなければ意味がない。

中国以外の世界は、まだまだこれから感染が拡大していく。3月中に終息の見通しが見えてくることはない。4月末でも無理だろう。日本でも、感染症の専門家たちが「3月中に終息する可能性は低い」とか「新型コロナ対策は、年単位で考えなければいけない」といった見方を表明し始めている。いちど感染したら体内に「生涯免疫（死ぬまで再感染しない免疫）」ができるものなのかどうか、現段階でまだわかっていないので、（ほとんどの人は無発症か軽症で）全人類が感染したらそれがこのウイルス危機の終わりなのかどうかもわからない。感染したら（ほとんどの場合）生涯免疫ができるのだとしても、全人類が感染するまであと何か月、何年かかるのか？　という話になる。

2回感染した人がいたと中国で発表されているが、どんな人が2回感染するのかわかってない（2回感染の割合は低いようだが）。暖かくなったら下火になるのかどうかもわからない（今が夏の南半球や熱帯諸国でも感染拡大している）。つまり、終息の時期は専門家でもまったくわからない。時期だけでなく、終息していく道筋（全人類の感染なのか、全人類でなく人類の何割かの感染で終わるのか、ワクチンの完成で解決するのか）すらわかってない。人類は、とんでもない事態に直面している。今夏の東京五輪の前にウイルス危機が終わることはない。「年内」もたぶん無理だ。

3月6日、日本政府が中国と韓国からの入国者を2週間隔離する政策を打ち出し、韓国も対抗措置を行った。この入国制限も、事態が長引くと日本政府が予測していることを示している。間もなく終息するなら、今から入国制限をする必要などない。安倍政権は、中韓からの入国制限を国内の専門家会議に諮らずに決めた。ウイルスの脅威が増したから入国制限したのでない。脅威増加の対策だったら専門家会議に諮るはずだ。これはおそらく日本の一存で決めたことでなく、日中韓で秘密裏に話し合って決めた共同体としての決定だ。韓国の怒りは演技だ。中国は沈黙している。

ウイルス危機と世界経済

今後、ウイルス危機が何か月か続くと、世界経済の成長率はマイナス20％とか、そういった数字になる。株価は今後もどんどん下がっていく。今のところ中央銀行群がＱＥ策で造幣した資金で株と債券を買い支えているが、いずれ力尽きる。ウイルス危機が長引くほど、世界的な金融大崩壊の可能性が高くなる。債券もジャンク債から崩壊（金利高騰）していく。株と債券の巨大なバブルが破裂し、米国の金融覇権が崩壊する。こちらも、すごいことになるのが確定的だが、最終的にどんな事態が立ち現れるのか、予測が全く出ていない。経済専門家は、そもそもきたるべきバブルの大崩壊を予測していない。医療分野と異なり、権威ある経済専門家は世界的に、ほぼ全員が「詐欺師」か「小役人」である。債券金融システム自体が米英発案の詐欺だ。

今後の展開は全く不透明だが、ウイルス危機がこれから何年も続き、巨大な金融崩壊が発生するという前提ですべてのことを考えていった方が良い事態になっている。すべてが終わった後、世界がどんな風になっているか想像がつかない。幸いなことに今回のウイルスは、ほとんどの人（とくに若者）にとって発症時の重篤性が低いので、すべてが終わった後でも人類の大半が生きている。事態はおそらく覇権体制の転換につながり、これは本来（歴史的先例）なら世界大戦（核戦争）によって引き起こされる転換だが、ウイルス危機は核戦争よりはるかにましだ。75年前の世界大戦では若者たちがたくさん死んだが、今回は若者たちが生き残るので、危機終息・転換後の世界経済の発展がやりやすい。

危機の長期化と強硬策のリスク

ウイルス危機が今後ずっと続くとなると、対ウイルス政策への見方・評価のしかたも変わってくる。今は、中国での強硬な封鎖政策によって新たな発症者の増加が減っている。対照的に、日本では封鎖が全く行われず、人々の自主的な行動規制に任されているが、日本政府はできるだけウイルス検査をしないことで感染者数の統計をごまかしており、本当の発症者は統計の何十倍もいると思われる。検査を積極的にやっている韓国では感染者が約6千人で、人口比で考えると日本で1万人が感染していても不思議でないが、日本の統計上は360人しかいない（韓国も全国民を検査したわけでないので、日本の実際の感染者は10万人以上かも。それでも国民の0・1%だが。多くは無症状）。

中国の強硬封鎖策と、日本の放置・隠蔽策が対照的だ。中国も無発症の感染者を統計に入れてないし、数字自体のごまかしもありそうなので隠蔽しているが、国民に大きな不便をかけつつ必死で封鎖を続けているのは確かだ。きたるべき多極型世界における日本の新たな「お上」である「中国共産党さま」の気の早い提灯持ちたち（中国在住の日本狗とか）が「中国に比べて日本の政策は劣っている。日本はダメだ」と上から目線で言っている。

しかし、強硬封鎖をずっと続けるわけにはいかない。長期化するほどマイナス面が大きくなる。封鎖を解いていく時に感染が急拡大しかねない。家庭内のウイルス感染は止められないし、運動不足による健康被害も増す。国民経済的にも大変なマイナスだ。中国共産党が（とくに湖北省の）強硬封鎖をしなかったら、世界のウイルス被害は何百倍もひどいものになっていた。その点で強硬封鎖は良策だった。中国共産党中央としては、ウイルス危機を利用して国民の行動を監視する体制を一気に構築できる「独裁強化の利点」もあった。しかし、中国から離れている日本で同じことをやる必要はないし、やれない。中国共産党は町内会まで下部組織があるので強硬封鎖をやれたが、日本にはそんな強い組織がないし不必要だ。

（少し前まで「米国の政策は良いが日本はダメだ」という「米国通」の上から目線発言もあったが、今では米国も検査をやらせずに感染者数を隠蔽しているし、隠蔽を乗り越えて感染者が急増して日本よりダメな事態になっている。日本にとって「先代のお上」だった米国の覇権衰退を象徴している）

ウイルス危機が今後何年も続くなら、強硬策はできるだけやらない方が良い。ウイルスの特性がわからないままなので答えが確定しない。ならば、国民生活をできるだけ残した方が良い。感染者数のごまかしは、国民のパニックを悪化させない精神衛生上の利点もある。日本はこれから発症者が急増して隠蔽が破綻し、隠蔽策を後悔することになるのか？わからない。逆にもし今後も事態が急に悪化せず隠蔽が粛々と続くなら、それは「次善の策」だったといえる。隠蔽策の犠牲者として、本当は新型ウイルスで死んだのに死因をごまかされる人が増えるだろうが、隠蔽しなかった場合に病院が満杯になって入院できず死ぬ人が増えるのと比べてどっちが悪いのかわからない。

若者たちは発症しないので従来通り人混みに出ている人も多い。無発症だが感染している若者が、無自覚なまま高齢者に感染させる「犯罪行為」「殺人」をやっていると批判されている。若者から見れば、自分たちが払った年金や健康保険の掛け金を「浪費」してしまう人々がウイルスの犠牲になって減っていく（年金の基金は、投資先の金融商品がこれからのバブルの大崩壊で破綻していくので、結局のところ若者たちが年金を受け取れないことには変わりがないのだが）。

今回のウイルス危機は、核戦争の代わりに起きている「隠然世界大戦」だ。今は平時でない。核戦争ほどでないが、死ぬ人が急増する事態だ。

3月11日

9章 人類の7割が感染し2年以上続くウイルス危機

人類のどのくらいが感染するのか

ドイツの大衆紙ビルトによると、メルケル首相は3月10日に独議会の非公開の委員会で「ドイツ国民の60~70%が新型コロナウイルスに感染するだろう」との予測を述べた。ビルトによると、ドイツのシュパーン保健相も、もし今後もずっとワクチンなどの予防策が出てこない場合、メルケルの「国民の60~70%が感染」が正しい予測になると認めた。メルケルがこの予測を述べたとき、委員会の出席者の全員が息をのんで言葉が出てこず、しばし沈黙が続いたという。

これはドイツだけの話でない。世界的に、人類の60~70%が新型ウイルスに感染するという予測になる。メルケルが最初に指摘したことでもない。2月末には英国政府の保健省が、最悪のシナリオとして「英国民の80％が新型ウイルスに感染し、50万人が死ぬ」と予測する報告書を作成し、わざわざマスコミにリークしている。2月末には米ハーバード大学の研究者（Marc Lipsitch）も「人類の40～70％が新型ウイルスに感染し、感染者のうち発症した人の1％が死ぬ」とする予測を発表し、米マスコミで報じられている。

これらの米英独での予測を総合すると、ワクチンなど予防策が出てこない限り、人類の40～80％が新型ウイルスに感染する。人類の60～20％は感染しないことになる。どんな人が感染しないのか詳述されていないが、大人より免疫力が強い子供たちでないかと推測される。感染しても、80％は無発症か、ごく軽症のまま終わる。無発症や軽症の人からも他人に感染するが、無発症者は体内のウイルスの量が少ないので感染力が非常に弱いと考えられている。感染者のうち残りの20％（人類の12％前後）が中程度から重篤に発症する。中程度以上の発症者の25％、つまり人類の3％前後、感染者の5％前後は入院が必要になり、入院者の10％（人類の0・3％）が死亡すると、米国病院協会（ＡＨＡ）の非公式予測の報告書に書いている。致死率は人類の0・3％、感染者全体の0・5％ほどになる。

激変するグローバリゼーション

ドイツでは、メルケルの予測とは別に、ベルリンのウイルス専門家クリスチャン・ドロステン（Christian Drosten）も同様の予測をしており、ドロステンは「ドイツ国民の60～70％が感染するまでに2年以上かかる」と予測しているという（原典が見つからず孫引きのみ）。彼はまた「ドイツでのウイルス発症の増加のピークは今年の6～8月になる」とも予測している。ワクチンができない限り人類の70％が感染するという見方は、専門家の多くにとってそれほど意外なものでないだろう。

私の近所にいる小さな個人病院の開業医も、今年2月初めの時点ですでに「人類の多くが感染するだろう。早めに感染して体内に抗体を作ってしまった方が良い。再感染があり得るとのことだが、感染した方が抗体ができるので良いことに変わりはない」とか「新型ウイルスの遺伝子には自然界にない塩基配列の部分があり、自然にできたのでなく実験室で作られたものだろう」と言っていた。彼は私の記事の読者でない。

人類の60％以上が感染するまでウイルス危機が続き、ワクチンなどの予防策が出てこない限り、ウイルス危機はこれから2年続くことになる。その間、国際的な人の移動が制限され、サービス業や飲食、エンタメ、観光、学校、議会、交通など、多くの産業や社会機能が制限され、世界経済に大打撃を与える。グローバリゼーションが劇的に終わる。金融危機が大幅に進行し、米国覇権体制が終わる。今起きている金融危機は、危機の序の口にすぎない。分析せねばならないことが無数にあるが、今回はここまで配信する。

3月16日

10章 英国式の現実的な新型ウイルス対策

「アングロ日本連合」の感染者数から見えるもの

1月23日に中国政府が発祥地の武漢を閉鎖して新型コロナウイルスの感染拡大が大変なことであるとわかってから2カ月近くがすぎた。この間、ウイルス感染は中国各地、日韓などアジア諸国、そして欧米や中東アフリカへと拡大した。

金融危機や世界不況の引き金を引きかねないのでパンデミック宣言を後回しにしていたWHOも、3月11日に世界的に株価が暴落して「WHOのせいで金融危機になった」と言われない状態になった日にパンデミック宣言した。別の言い方をすると、中国の傀儡勢力であるWHOは、中国での感染拡大が一段落（の歪曲）して習近平が「勝利宣言」（3月10日の武漢視察）できる状態になり、次はイタリアなど欧州や米国への凄惨な急拡大が確定的になって「中国の勝利と欧米の敗北」が見えてきた（加えて、欧米の混乱が注目され、このウイルスの発祥者である中国への非難どころでなくなった）ので、3月11日にパンデミック宣言した。今回のウイルス危機は長期化が必至なので、パンデミック宣言により、国際的な人的交流や、冷戦後のグローバリゼーションの体制が大きく阻害・破壊され、ひどい世界不況になる傾向が強まった。

この間、新型ウイルスに対する各国の政策の違いを見ていると、いろいろ感じることがある。その一つは「アングロサクソン諸国（米英加豪NZ）と日本の、人口に占める感染者数の割合がおしなべて低いこと」だ。世界の国ごとの感染者数の一覧を見ると、各国の百万人あたりの感染者数の割合は3月16日昼の時点で、日本が6・6、米国が11・4、英国が20・5、カナダが9・0、豪州が11・8、ニュージーランドが1・7だ。一方、西欧諸国は、イタリアが409・3、スペインが16・8、フランスが83・1、ドイツが69・4、スイスが256・2、ノルウェーが231・7、デンマークが149・2などだ。アングロサクソンと日本は、感染者の割合が、欧州諸国よりひと桁少ない。

これを「アングロ日本連合」みたいな感じでとらえず、単なる偶然と考えることもできる。だがアングロサクソンの5か国は第二次大戦中から諜報分野で「ファイブ・アイズ」

の非公式な同盟関係を続けて「米英覇権・軍産ネットワーク」を形成している。この同盟は戦時中、まさに日本を倒すために結成されたが、戦後、対米従属、正確には対軍産従属の傀儡国に変質した日本は、事実上、今やファイブ・アイズの準加盟国だ。そして、米英覇権体制の終わりや覇権多極化につながりそうな今回のウイルス危機は、医療や保健衛生の問題を超えた、覇権や諜報の問題だ。今回のウイルスが人為的に（軍産によって）植え込まれた可能性もあり、まさに軍産や米英覇権の話である。

ならば、ウイルスへの対策も、アングロ日本連合の諸国で横並びに行われても不思議でない。この連合のウイルス対策は「感染者数の統計を少なめに出し続けること」である。米英が西欧諸国より医療体制が格段に良いとは言えないので、米英の感染者数の人口比が少ない理由は医療体制の違いでなく、ウイルス検査をどの程度熱心にやるか、感染者数を少なめに出したいかどうかといった政治姿勢の違いだ。医療体制の良し悪しの違いは、死者数の違いとして現れるだろうが、感染者数の違いには結びつきにくい。感染の多くは家庭内や職場、社交の場で起きている。院内感染は比率として少ない。

日本は医療体制が良いが、感染者っぽい症状が出て病院に行っても、いくつもの種類の発症のすべてが起きていないとウイルス検査を受けられず帰宅させられる。今回のウイルスは発症時の症状の組み合わせが人によってかなり違うのに、政府がそれをわざと無視し、杓子定規で非現実的な決まりを作って感染者にできるだけ検査を受けさせず、統計上の感染者数を大幅に少なくしているのが日本の現状だ。先週今週あたり、知り合い、もしくはそのまた知り合いがそのような目に遭っているという人が増えている。発症したのに検査してもらえない人が、すでにかなりいそうだ。日本全体で数万人とか十万人とかか？　軽症と重症の全体的な割合から考えて、その5倍ぐらいの人（25万から50万人？）が、無発症もしくはごく軽症（ほとんど無自覚）で、すでに感染しているはずだ。もっと多いかもしれない。

1月に中国からウイルスをうつされて以来2カ月が経ち、日本は感染増加のピークに近づいている。1日10人程度の現在の感染者統計の増加数は、あきらかに少なすぎる。前回の記事に書いたように、ドイツの専門家は6〜8月が感染のピークだと予測している。欧州は日本より1カ月ぐらいの遅れで感染が広がっている。日本の感染増加のピークは5〜7月ごろか。ピークを越えると増加の速度が減り、「国民の6〜7割が感染」の完成形に近づく。世界的に、夏から秋にかけてが完成形への到達時期でないか。その前にワクチンができて使用開始されれば感染増加が止まるが、ワクチンは今年中にできそうもないので、

完成形まで感染拡大する。

英ジョンソン首相の提案

この件について、アングロサクソンの元祖である英国のジョンソン首相が3月15日に衝撃的な発表をした。ジョンソンは、英国民の6割が感染する完成形に至る事態を避けられないと表明し、ウイルス危機は今夏に完成形になっていったん下火になるが、これまでのインフルエンザや風邪と同様、11月ぐらいから来春まで再び感染発症する人が出てきて、ウイルスは脅威を弱めつつ何年も再発し続けるとの予測を発表した。地域や都市を閉鎖して住民を外出させない隔離政策をとると、一時的に感染者の増加が抑えられるが、閉鎖や隔離を解いたら再び感染者が増えてしまうと指摘した。

そしてジョンソンは英国の対応として、健康な若者と、そうでない人々（高齢者と持病持ち）とを分けて、別々の過ごし方をする策を提案した。感染しても発症しにくい健康な若者（40歳以下）は、感染して抗体を体内に作ってもらい、英国民のできるだけ多くが「集団免疫」を持つことで、今冬のウイルス再発の事態を乗り越える。社交の制限などをやるが、それは感染拡大の遅延策であり、感染者が急増して病院が満杯でパンクする事態を防ぐ。一方、感染したら重症化しやすい高齢者や持病持ちの人々は、他の人々との接触をできるだけ減らした状態で4カ月から半年をすごして感染を防ぎ、その後は集団免疫を持った若者に支えられて生きる。

ジョンソンは英国を代表する権威ある医療専門家を従えて発表を行い、これが科学的で正しい政策であるという印象を打ち出そうとした。内外のマスコミや反対論の人々は「次の冬に再発するとの予測は全く不確定だ」「人々の体内に恒久的な集団免疫が作られるかどうか、まだわからない」「感染したら重症や死に至る若者もいるのだからこの策は間違っている」「感染対策を放棄すると言ったも同然」「ウイルスに対する敗北宣言だ」などと非難した。だが私から見ると、ジョンソンの発表は、確かに無策ではあるものの、一つの具体的・現実的なシナリオを提示している。放置的なジョンソンの策と対照的なのは中国がやっている強烈な閉鎖・隔離策だが、それをやっても、それをやめた時に感染が拡大するのだから根本的な解決策にならない。他の諸国も無策であることに変りなく、事態は結果的に似たものになると考えられる。

ドイツでは「国民の60~70%が感染する。それまでに2年かかる」との予測が公式的なものになっている。英国の予測と似ている。これらに対して「何の根拠があるのか？　いい加減なことを言うな」という批判が世界的にある。しかし世界的に、英独などが出した一群の予測以外の具体的な予測は出されていない。日本政府は「今が正念場だ」と1カ月前から言い続けることしかやっていない。英国は、科学について国際的な権威の国だ。英国は「科学という名のプロパガンダ」の世界体制を創設し、それを維持する科学の覇権国だ。その英国の首相が「人々の60%が感染して集団免疫をつけるしかない」と正式に提案したのだから、それが正しいと考えるべきだ。新型ウイルスについては不明な点がとても多く、確定的な予測や対策を出すのは不可能だ。根拠が薄いからといって、それを間違いだと言う人は、今の状況の根幹を理解していない。

なぜ感染者数をごまかすのか

安倍首相の日本政府は、今が正念場としか言わないし、感染者統計も明らかに少なすぎて、とても不正でインチキな感じがする。しかし実のところ、日本政府がやっている感染対策は、現実策として悪いものでない。欧州など多くの国で、飲食店や歓楽街が閉鎖されているが、日本では大半の飲食店が営業を続けている。年寄りの客は減ったが、若者はけっこう来ている。人気店は相変わらず混んでいる。これは、ジョンソン英首相が言うところの、若者たちに集団免疫をつけさせる策になっている。アングロ連合の忠実なるしもべ・準加盟国である日本は、連合体の主導役である英国が提案した策を、静かに着実に実行している。これは偶然なのか、それともアングロ連合側から示唆されたとおりに安倍の日本がやった結果なのか？　日本と米国の検査拒否による感染隠しの手口が似ているので、トランプが安倍に入れ知恵してやらせた可能性もある。

他の諸国は、感染者の増加傾向を抑えて病院を満杯にしないようにするため、飲食店を閉店させている。日本は、飲食店を開けっ放しにして感染者の増加を放置する一方で、感染を調べる検査をやらせないことで、表向きの感染者の増加を抑えて病院を満杯にしないようにしている。飲食店を閉めると感染が増えないのでなく、増加の速度が抑止され、病院を満杯にしない。最終的に感染者が増える点では、飲食店を閉めても閉めなくても同じだ。病院を満杯にしないのが目的なら、日本の開店放置のやり方でも良いことになる。

日本などアングロ連合諸国は、感染者数を少なくごまかす不正をやっている。これは一見悪いことだが、現実的に考えると、検査数を増やして感染者数を増やすと、軽症者で病院が満杯になりかねない。感染しているが軽症な人を入院させずに帰宅させると、感染者の自宅周辺がパニックになる。パニックを発生させても感染拡大の抑止にならない。しかも、感染者を入院させろという社会的圧力が強まり、病院が満杯になってしまう。ならば、検査せず公式な感染者に仕立てないことが現実的な選択肢になってくる。

感染しているのに検査を受けられないので感染を知り得ずそのまま暮らしている人は、検査して感染を知って引きこもる人よりも、他人に感染を拡大する傾向が大きい。だがその一方で、いったん陰性になってかなり経ってから再び発症したり陽性になるケースもあり、ウイルスの性質としての感染状態の「完全な終わり」が確定できない状態のままだ。一人ひとりの感染者に厳密な対応をしていると、それぞれに対して1カ月以上かかり、対応する当局の側がパンクしてしまう。

各国の対応の違い

中国は、共産党の強力かつ広範な独裁体制を活用し、人口の半分を閉鎖・隔離状態にして、感染拡大をかなり止めている。しかし今、閉鎖を解くと感染が再拡大する事態に直面し、なかなか閉鎖を解いていけない。北京市などは、いったん開けたが再び閉めている。中国政府は、閉鎖を解いて経済活動を再開していると強調しているが、その中には、習近平政権の「勝利」を喧伝するための「見せ物」としてごく一部が再稼働しているだけのところも多い。中国は、閉鎖の再開に苦労している。加えて中国は、重症な発症者だけを「感染者」として扱っており、日本と異なるやり方で感染者数を過少に発表することで「勝利」感を演出している。世界は、新しい覇権国である習近平の中国に媚びて、中国の勝利と再開の演技を鵜呑みにしている。「アップルは、中国以外の世界中の店舗を閉店した。中国の店舗だけは再開を維持している（実は開店休業）」といった報道が象徴的だ。そんな中、英国のジョンソンは、中国のやり方は良いものでないと指摘している。

検査したがらない日本と対照的に、韓国は新天地教会の集団感染以来、ものすごく積極的に検査を拡大し、統計上の感染者は増加したが政策の透明度が上がって成功だったとされている。日本はアングロ連合と一緒に6割感染・集団免疫のシナリオに沿って検査回避の感染者隠しをやり、日本と対照的に韓国は積極検査の策をとり、ＥＵ諸国がそれを見習ったという流れになっている。しかし最近は韓国も感染者の増加幅が減ってきた。韓国の感染拡大は山を越えて終わりつつあるのか？　それは考えにくい。韓国の感染者は８千人台だ。こんな少数で終息するとは思えない。韓国は、感染者を積極的に統計に載せる政策を微妙に変えた可能性がある。

このほか、エジプトやカンボジアなどの発展途上諸国も、検査をできるだけせず、感染者の統計数を増やさない政策をとっている。エジプトの統計上の感染者数は現在126人だが、エジプトを旅行した日本人が何人も感染している。エジプトの実際の感染者は何万人・何十万人もいるはずだ。カンボジアの統計上の感染者数は12人だ。フンセン首相は「我が国には感染者がいない」という姿勢を貫いている。行き場を失った国際クルーズ船を2月13日に受け入れた時からそうだった。だが、受け入れたクルーズ船の乗客の中に感染者がいると後でわかったし、その後カンボジアから帰国した日本人の感染もわかった。カンボジアにもかなりの数の感染者がいるはずだ。発展途上国の多くは、できるだけ検査をせず感染を放置している。その結果、それほど大変なことにならないのなら、これが現実的な策なのかもしれない。

3月29日

11章 集団免疫でウイルス危機を乗り越える

政権の権力強化のために危機感を扇動？

新型ウイルスの発症が世界的に急拡大している。日本でも、3月24日に東京五輪を延期した直後、東京を中心に発症者（統計上の感染者数）の増加が加速し、3月25日以降、東京都など首都圏で外出自粛要請が強化され、都市封鎖の状態に一歩近づいた。五輪の延期を決めたとたんに統計上の感染者数が急増し始め、同時に都知事が危機感を煽る形式で自粛強化を発表したため、タイミング的に不自然だ、ウラがあるはずだ、という読みもマスコミで流れている。私も初めはそれを疑った。統計上の感染者数は操作できる。日本政府はこれまで、感染の検査をできるだけしないことで統計上の感染者数を低めに出してきた。この歪曲策が五輪開催のためだったと考えると、五輪延期が決まった以上、歪曲策も必要なくなるので、次は逆に、政権の権力強化のために危機感を扇動する策に大転換したという見立てが可能だ。

だがその一方で3月28日、千葉県東庄町の障害者施設で58人、東京都台東区の病院で60人以上の集団感染が出現した。このような大規模な感染の頻発はこれまでの日本になかったもので、発症者の急増が、統計の歪曲によるものでない（統計の歪曲を乗り越えて発症者が急増している）ことが感じられる。「五輪を延期したので感染急拡大」でなく、逆に「感染急拡大が予測されたので五輪延期を決めざるを得なくなった」と考えられる。

アジアでは3月20日ごろから、発症が急拡大する欧州からの帰国者の流入によって、中国、香港、シンガポールなどで発症者が急増し始めた。WHOは全世界に都市閉鎖（ロックダウン）など厳しい対策を求め始めた。日本でも発症者の急増が予測される事態になった。日本政府が東京五輪の開催にこだわって強いウイルス対策を採らないままだと、日本に対する国際批判が急速に強まり、日本政府が悪者にされる形で五輪延期に押しやられる。それを避けるため、安倍政権は発症者が急増する直前のぎりぎりの段階で五輪延期を決め、翌日から唐突に「首都閉鎖」を視野に入れた強い自粛要請を出し始めたと考えられる。五輪固執のせいで強い政策の発動が1週間遅れたと指摘されている。

これまで日本は、感染者統計の増加が異様に少ない「奇跡の国」だったが、今後は毎日千人ずつ増え続けるような「ふつうの国」になるかもしれない。そうなると、東京など首都圏で今後、店舗の義務的な閉鎖や人の移動の制限など、今より強い規制が発動されて「首都閉鎖」の有事体制になり、それが2〜3カ月は続く。敗戦国である日本は、これまで政府が強権を発動しくにい状態になっており、これまで強権発動の制度を作っても、実際に強権を発動する機会が少なかった（3・11の福島など）。今回の首都閉鎖は、東京で有事体制を挙行する初の体験となる。

都市閉鎖は一時しのぎの策。集団免疫の形成しか解決にならない

ＷＨＯは、世界中で都市閉鎖をやれと言っているが、都市閉鎖は最良の策でない。ワクチンがない段階での新型ウイルス危機の唯一の最終解決策である「集団免疫」の形成は、都市閉鎖をできるだけやらない方が達成しやすい。加えて、都市閉鎖をやらない方が経済活動をできるだけ存続して失業や企業破綻を回避できる。集団免疫と経済維持の両面で、都市閉鎖はできるだけやらない方が良い。

都市閉鎖をやると、いったんは感染拡大を抑止できるが、閉鎖を解いたら再び感染が拡

大する。閉鎖を解いて感染が再拡大したら「閉鎖を緩めたからだ。早く元の閉鎖状態に戻せ」という世論や権威筋からの圧力が強まるので、なかなか閉鎖を解除できなくなる。政府に小役人が多いほど、閉鎖は長期化する。都市閉鎖は一時的な拡大抑止策にしかならず、最終解決策でない。しかも長期化しやすく、経済（雇用、市民生活、教育）に大打撃を与える。都市閉鎖は、一時的な安心感を得られるだけの策だ。

ワクチンがない中での最終解決策は、集団免疫の獲得しかない。集団免疫とは、若者を中心に多くの人（住民の6割以上）が軽症もしくは無症状でウイルスに感染した上で完治して体内に抗体を得た状態をさす。ある地域で集団免疫が形成されると、その地域によそから感染者が入ってきても、周囲のほとんどが抗体保持者なので他人に感染していかず、ウイルス危機が再発しない。完治して抗体を得た人は一定期間（SARSなどの先例から類推して新型ウイルスの抗体維持期間は数カ月から数年）、体内の抗体が維持され、その間は人に接しても他人から感染しないし、他人を感染させることもない。新型ウイルスの抗体を得ていることが確実な人は、行動を自粛する必要がない。いったん都市閉鎖に近い状態になっても、広範な抗体検査を実施し、抗体を得ていると確認できた人から順番に、病院や役所や企業や店舗や学校に復帰して働くようにしていけば、ウイルス危機を克服でき、安全に閉鎖を解いていける。

以前の記事「英国式の現実的な新型ウイルス対策」に書いたように、欧州では英国が集団免疫の獲得をウイルス危機の解決策として掲げた。英政府は3月15日の発表で、高齢者など免疫力が弱い人々に対し、若者ら国民の大半が集団免疫を獲得するまでの3～4カ月間、自宅で隔離生活を続けるよう要請した。国民の大半が集団免疫を得た後なら、高齢者が外出しても感染しなくなる。英国のほか、オランダとスウェーデンも集団免疫の獲得を政策にしており、国民が集団免疫を得ることを優先し、国民に対する行動規制（他人との距離をとることの義務づけ）を半ば意図的に弱くしている。ストックホルムでは今週末も飲食店が繁盛している（東京と同様、近いうちに店を開けなくなるかもしれないが）。

不評でも集団免疫を維持するイギリス

とはいえ、集団免疫策にも欠点がある。最大のものは、若者の中にも発症したら重篤ないし死亡する人がおり、誰が発症時に重篤になるか事前に予測困難なことだ。集団免疫を政策として掲げた英国やオランダ、スウェーデンでは、野党やマスコミや世論が「集団免疫策は人殺し政策だ」「人命を尊重せず倫理的に問題だ」「国民にロシアンルーレットを強いている」と批判している。加えて、集団免疫の形成を重視して国民への行動規制が弱いままだと、発症者が増えて病院の集中治療室が満杯になって医療崩壊を起こす可能性が強まる。英国政府はこれらの批判を受け、3月15日に発表した集団免疫策を5日後に撤回した。

集団免疫策は政治的に不評だ。しかも英国など欧州各国では3月中旬以降、感染者・発症者が急増しており、都市閉鎖によって発症の急増を抑止せざるを得ない状態になっている。英政府は医療崩壊の回避策として、ロンドンの巨大な展示会場を新型ウイルス専門の病院に改造するなどして全英で3万人の病床を新設し、今後の発症者急増に備えている（英国の現在の発症者は1万7千人。英国でも日本と同様、顕著な症状がないと感染検査してもらえない）。野戦病院らしくナイチンゲールの名を冠したロンドンの4千床の新設病院は、軽症者、中程度、重症者に区域分けされ、遺体安置所も2つある。今後確実に発症者が急増することを感じさせる。

しかしそんな中でも英政府は、集団免疫を「事実上の政策」として維持している。英政府は3月23日、集団免疫策の根幹となる抗体検査用の検査キットを350万個、メーカーに発注した。英国の医療界では異例なことに、アマゾンなど通販業者を通じて急いで販売・配布する策をとり、医師や看護師に優先配布する。抗体検査によって、体内にすでに抗体があることが確認された医師や看護師は、新型ウイルス感染の恐れを抱かずに病院で働ける。抗体の存在が確実な人は防護服を着ずに感染者に接しても感染しない。抗体検査キットが医療関係者に行き渡った後は、その他の一般の英国民にキットが行き渡るようにする。抗体の存在が確認できた人から職場に行けるようになり、都市閉鎖を解いていける。抗体検査は「血清学検査（serological tests）」と呼ばれ、自分の少量の血液をとって検査し、結果が15分でわかる。抗体の有無の確度は90％以上だ。抗体は、感染してから1週間ぐらい経たないと体内に作られないので、感染初期の人を探すためには使えない。既存の感染検査であるＰＣＲは、喉や鼻の粘液を採取して新型ウイルスの遺伝子が存在しているかどうか調べるもので、感染初期の人も検知できるが、結果が出るのに時間がかかるし、確度が60％前後と低い。

英国では従来、日本と同様、政府がなるべくＰＣＲ検査を行わないようにしてきた。軽症ないし無発症の状態の人が検査で陽性になって感染が確認された場合、そのまま帰宅させると周辺の人々に感染させてしまうし、感染者が近くにいたことを知った近所や職場がパニックになるため、病院に入院させざるを得ないが、そうなると軽症者で隔離病棟が埋

郵便はがき

料金受取人払郵便

神田局
承認

5723

差出有効期間
2021年12月
31日まで

101－8791

507

東京都千代田区西神田
2-5-11出版輸送ビル2F

㈱花　伝　社　行

ふりがな お名前 　　　　　　　　　お電話
ご住所（〒　　　　　　　） （送り先）

◎新しい読者をご紹介ください。

ふりがな お名前 　　　　　　　　　お電話
ご住所（〒　　　　　　　） （送り先）

愛読者カード

このたびは小社の本をお買い上げ頂き、ありがとうございます。今後の企画の参考とさせて頂きますのでお手数ですが、ご記入の上お送り下さい。

書 名

本書についてのご感想をお聞かせ下さい。また、今後の出版物についてのご意見などを、お寄せ下さい。

◎購読注文書◎

ご注文日　　年　　月　　日

書　　名	冊　数

代金は本の発送の際、振替用紙を同封いたしますので、それでお支払い下さい。
（2冊以上送料無料）

なおご注文は　FAX　03-3239-8272　または
メール　info@kadensha.net
でも受け付けております。

まってしまい医療崩壊する。検査させなければ感染の有無もわからないままなので、重症でない限り発症しても検査せず自宅で外出禁止の生活を送らせれば、家族以外にはうつりにくく、近所や勤務先も知らぬが仏でパニックにならず、病院の医療崩壊も起こらない。だから日英など多くの国々の政府が、国民に感染検査を受けさせないようにしてきた。検査拒否は「不正」というより「次善の策」である。

今回の英国などの積極的な抗体検査は、これと異なる考え方だ。抗体検査を広範にやると、完治した人だけでなく、軽症で感染している最中の人が無数にいることが露呈する。感染者が免疫が弱い高齢者や持病持ちと同居している場合、感染が発覚した以上、そのまま帰宅させるわけにいかない。新設の病院があれば、完治するまでそこに入院させておくことができる。

積極的な抗体検査は、米国でも開始されている。米国の発症者の半分を占めるニューヨーク州と隣のニュージャージー州では、人に接することが多い医療関係者や警察官、地下鉄職員の中から発症者が相次ぎ、自宅隔離を命じられている。現場の人手が足りないので、完治した人から職場復帰させていく必要があり、その際に抗体検査が行われている。抗体検査は、その他の職種の人々の職場復帰にも役立つ。

トランプ大統領は3月24日に「イースター（4月12日）までに米国経済を再開したい」と表明した。ちょうどNYなどで発症が急拡大しており、私を含めて多くの人が「そんなのできるわけない」と考えたが、意外にそうでもないかもしれない。もしイースターの前後に「抗体検査を拡大し、すでに抗体を得た人から順番に職場復帰し、経済を再開していく」というシナリオが少しずつ現実になっていることが確認されれば、米国民にとって明るい話題となり、トランプは親指を立てて「オレの言ったとおりだろ」と言え、支持率を上げられる。

英国の感染症専門家で、米英政府の新型ウイルス政策の立案に参加してきたニール・ファーガソンは、3月16日に「人類の7割が感染し、英国でも2百万人が死ぬ」という予測を発表するとともに「ウイルス危機を乗り越えるには集団免疫の獲得しかない」とも言っていた。だが彼は3月26日に予測を大幅に改定し「新型ウイルスの感染力が意外と強いので、すでに英国民の半分が（ほとんどは無発症で）感染して抗体を持っており、まもなく集団免疫が達成される。新たな予測では、入院者が最盛期でも2万人以下なので医療崩壊は起きない」とする新予測を英議会で発表した。

英政府は3月26日、発症者が急増しているにもかかわらず、ファーガソンらの新発表をもとに、新型ウイルスに対する危険性を格下げしてしまった。英国の感染者はすでに1万7千人なので、ファーガソンの新説は多くの専門家に否定されている。政治的に歪曲された新説だと指摘されている。同日、英政府の首相と保健相というこの件の最重要な2人が新型ウイルスに感染（したことに）し、マスコミや野党に会わずにすむ状態に入った。確かに怪しい。だが、ファーガソンの分析が間違っていると言うなら、英国での抗体保有者の正しい比率は何%なのか。他の人々は「間違っている」というだけで自分の説を表明していない。

日本も集団免疫獲得を目指すべき

日本は中国に近いので、英国より1カ月ほど先行して新型ウイルスの感染が国内で拡大している。現時点で英国では人口の半分が抗体を得ているというファーガソンの説が正しいとしたら、日本は英国より抗体保持者の割合がずっと多いはずで、集団免疫がとっくに達成されていると考えられる。中国などと異なり、日本は都市閉鎖を全くやっておらず、人々は先日まで注意しつつも自由に外出し続け、若者を中心に無発症の感染が拡大して集団免疫に早めに近づく素地が豊富にあった。日本は隠然と、もしくは無意識のうちに集団免疫策を採ってきた「ステルス集団免疫策」の国だ。

しかし今、日本はこれから再び発症者の急増が起きる可能性が高いとされている。中規模なクラスターが次々と発生している。集団免疫が形成されているようには全く見えない。新型ウイルスは感染力がとても強力だと言われているが、何らかの阻害要因があり、実際の感染力はそれほど強くないのか？　もしくは、いま欧州で大感染しているウイルスは、もともと中国や日本で感染拡大したウイルスから変異して感染力や病原性が強くなっており（だから欧州の致死率が高い）、日本人は最初の中国発祥のウイルスでは集団免疫が形成されているが、その免疫力は変異後の欧州発祥のウイルスにあまり効かないので、日本で再び感染が拡大しているのか？　世界中で多くの研究者が新型ウイルスを遺伝子解析しており、変異が起きているのであればすぐに発表されるはずだが、何らかの理由で発表されていないとか？　わからない。

感染者急増の度合いにかかわらず、日本でも英国と同様の抗体検査の拡大による抗体保有者の確認を行い、集団免疫にどのくらい近い状態なのか調べた方が良い。そうすれば、抗体保有者から順番に職場に出て行くことができ、経済や医療システムの崩壊を減らすことができる。英国などと同様に、感染が確認された軽症者が入れる新設の病院を、大きな展示会場などを流用して新設することも必要になってくる。集団免疫獲得と経済維持の観点から、都市閉鎖（ロックダウン）はなるべくやらないほうがよい。若者の外出は、集団免疫の観点から黙認されるべきだ。

12章

ＢＣＧと新型ウイルスめぐる考察

ＢＣＧが新型ウイルスに効果あり？

もうご存じの方が多いと思うが、結核菌のワクチンであるＢＣＧの予防接種をした人は、ＢＣＧをしていない人より免疫力が高く、新型コロナウイルスに感染しても重症になりにくいのでないか、という分析が出ている。戦前からＢＣＧの予防接種が広範に行われ、１９５０年代から結核撲滅のため全国民を対象にＢＣＧが接種されてきた日本では、新型ウイルスの発症者の比率が世界的に見て異様に少ない。アジアや旧ソ連東欧諸国でもＢＣＧは広範に接種されている。対照的に、感染者が急増している米国とイタリアでは、これまで全国民を対象にしたＢＣＧの接種が行われたことがない。感染者の増加がアジアより激しいフランスやスペイン、英国でも、現在は全国民を対象にしたＢＣＧが行われておらず、ワクチンの種類もアジアと異なる。イランは1984年まで広範な接種が行われていなかった。

全国民を対象にしたBCG接種が行われてこなかった豪州やオランダでは、今回のウイルス危機が始まった後、感染者に接触する機会が多い医療関係者を対象にBCG接種を開始している。BCGが、結核に対する免疫だけでなく、広範な免疫力の増大を長期にわたってもたらすことが、以前から確認されていた。確定的でないが、BCGの接種は新型ウイルスの発症時の重篤さを低下させる効果がありそうだ。BCG以外でも、従来の病気に対する予防接種が、新型ウイルスへの免疫力を増強させているかもしれないが、まだ確認されていない。

感染と宗教政治の関連性

BCGなど一部の予防接種をしている人が、していない人より新型ウイルスに対する免疫力が強いという仮説が事実である場合、それが原因でないかと疑われる感染の爆発的な拡大が世界のあちこちで発生している。たとえば、イスラエルの超正統派ユダヤ教徒が密集して住んでいるテルアビブ近郊の街ビナイバラク（Bnei Brak）。この地域の住民の3

割から半分が新型ウイルスに感染していると推定されている。イスラエルの新型ウイルス発症者（入院者）の半分が、人口の1割程度である超正統派だ。彼らはテレビもネットも見ず、地元のラビ（聖職者）の言うことしか聞かず、ラビは政府の命令を無視する傾向が強い。超正統派はユダヤ教の勉強だけする生活なので貧乏で、しかも多産だ。そのため劣悪な住環境に密集して住んでおり、それが感染急拡大の原因だと報じられている（日本でも「三密禁止」プロパカンダの一環として広く報じられた）。イスラエル政府は4月2日から軍をビナイバラクに派遣し、外出禁止などの強制的な感染阻止策を開始した。

ビナイバラクなどの超正統派の人々は、予防接種をしているのだろうか。米国では、ニューヨークのブルックリンなどに住む超正統派ユダヤ教徒が、予防接種の義務化に反対する政治運動の急先鋒の一勢力だ。ブルックリンは、新型ウイルスの感染がNYで最も多発している地域の一つだ。米国の超正統派（や、その他の一神教などの原理主義勢力）は「人間は神様が作った。科学・医学は、人間の身体のことを完全にわかっていない。科学・医学は、神様よりはるかに劣っている人間がやっている行為だからだ。そんな中途半端な科学・医学に基づいて、不完全な開発力で作ったワクチンを強制的に人々に予防接種するのを義務づけるのは間違っている。副作用もひどい」と考える傾向にある。

ビナイバラクやブルックリンの人々は、こういった信仰上・信条的な理由でＢＣＧなどの予防接種をしていないことが、感染急増・高致死率の理由の一つでないかと疑われる。ニューヨークなど米国では、ユダヤ教徒以外の人々でも、家族ぐるみでワクチン・予防接種に反対・懐疑的な人がけっこういる。ワクチン反対運動を率いる人々は、ユダヤ人などマイノリティの人々の間で支持を拡大するように動いてきた。ニューヨークの感染急拡大の一因は、予防接種と関連しているかもしれない。ＢＣＧなど予防接種をしている老人が、していない若者より免疫力が高いといったことがあり得るが、ニューヨークでは若者も多く発症している。予防接種との関連に確たる証拠はないが、「感染爆発の理由は密集だ」と決めつけるのも確たる証拠がないままに行われている。ＢＣＧが広範に免疫力を押し上げること、米国でＢＣＧの比率が低いことは事実だ。

イスラエル周辺では、ユダヤ教徒だけでなくイスラム教徒のパレスチナ人も、自治政府やＷＨＯによる感染予防策に従わず、密集した礼拝を続けている。イランでは、新型ウイルスの感染拡大が、聖職者がたくさんいるシーア派の聖都コムから拡大していった。イランは１９７９年以来、聖職者集団が政権を握っているが、１９８４年からＢＣＧが全国民を対象に行われている（ワクチンは元々のフランス株からわかれた独自のものを使用）。

今も1万人程度の結核患者がいる。イランの感染急拡大が、宗教政治と何らかの関係があるかどうか不明だ。それらしいことを列挙しても、まとまった分析にならない。イランの聖職者の中には、コロナの感染を宗教の力で治療できると言っている人もいる。イラクのシーア派の宗教指導者であるサドル師は、新型ウイルスのワクチンが今後できたとしても、米国が作ったものであるなら使用禁止だと言っている。

韓国では、現時点で1万人いる感染者の半分が、キリスト教系の「新天地イエス教会」の大邱などの信者だ。大邱の信者1900人を検査したところ1720人（うち無症状420人）が感染し、1300人が発症していた。発症率が68％と高い。この教会は、多数の信者が密集して礼拝する作法で、しかも昨年末に中国の武漢に新しい支部（地下教会）を作り、数十人の信者が韓国と武漢を往復していた。それらが感染増加の理由だと報じられている。この教団について調べたが、予防接種についての考え方はわからなかった。教祖の言葉が絶対であるようなので、予防接種するなと教祖に言われれば、信者は政府の方針を無視して予防接種をしなかったりするのだろうが、それが起きているかどうかわからない。今回の記事は腑抜けた内容で申し訳ないが、BCGなど既存の予防接種と新型ウイルスの爆発感染との関係が広範に調べられれば、多くのことがわかるのでないかという提案をするのが良いと考えてこれを書くことにした。

何が陰謀論なのかを考えよ

欧州で発症者や死者の人口比率が、東アジアよりはるかに高いのは、新型ウイルスが中国から欧州に拡大する過程で変異して感染力が強くなったからでないかという仮説が以前からある。だが、イタリアと中国の研究者が調べたところ、両国の感染者が持つウイルスのゲノム配列はほとんど同じで、中国からイタリアに拡大する間にウイルスがほとんど変異していないことがわかった。新型ウイルスは、既存のインフルエンザウイルスより変異の速度がかなり遅い。これは、新型ウイルスのワクチンが開発されたら、それが広範に効力を持つことを意味する。毎年変異して違う種類が蔓延する既存のインフルエンザは、毎年新たなワクチンを見極めて製造するという面倒な作業が必要になっているが、新型ウイルスは違うようだ。これは朗報だ。

新型ウイルスは変異しにくい。中国とイタリアのウイルスはほとんど同じだ。「欧州から日本に帰国した人々が新型ウイルスの欧州型を日本に持ち込み、日本で強烈なウイルス感染拡大の第二波が起きつつある」という一部の指摘は間違った「(日本政府肝いりの)

無根拠な陰謀論」である。欧米と日本など東アジアの発症者の比率の大きな差の原因は、こうした陰謀論でなく、ＢＣＧ接種の有無であると考える方が自然だ。ここから先の分析については あらためて書く。豪州やオランダでは、ＢＣＧ接種が新型ウイルス対策として効果があるという前提で対策が試みられているが、対照的に日本では、ＢＣＧ接種との関係が「無視」「軽視」もしくは「迷惑な考え方」「陰謀論扱い」されている。これは日本の政治的な事情がありそうだが、それについてもあらためて考察する。

今回の記事の内容は、考察しているうちに陳腐化してしまった。みなさん知っている話を今さら配信して申し訳ないが、ＢＣＧと新型ウイルスをめぐる話は、それ自体より、そこから発展する分析が重要だ（なぜ新型ウイルスの脅威を誇張するのかとか、遺体をできるだけ感染検査することで死者数の統計を多めに出している国と、その逆をやっている国がありそうなのはなぜかとか）。それを改めて書くための布石としてこれを配信する。

4月6日

13章

ウイルス統計の国際歪曲

感染者数・死者数の読み方

米政府は、今週が新型ウイルス感染の山場・最も苦しい1週間になると宣言した。米国の感染者数は世界一で、ニューヨークを中心に感染者や死者が急増している。しかしこの急増は、必ずしも事態の急激な悪化を意味していない。というのは、米国ではウイルス感染に関する検査がものすごい勢いで行われているからだ。米政府は、3月中旬からPCR検査を急増しており、今や総検査数は176万件で、世界的にダントツの第1位だ。検査数が急増したら、必然的に感染者数が急増する。米国が世界一の感染者数なのは、事態が世界一悪いからでなく、検査数が世界一多いからにすぎない。統計数字は「米国の事態の悪さ」を示しているのでなく「多数検査という米国の政策」を示しているにすぎない。このからくりは、ほとんど報じられていない。

米国の統計上の感染者数は33万人で、検査数に占める感染率が19％だ。米国に次いで検査総数が多いドイツは、100万件の検査に対して10万人の感染なので感染率は10％だ。韓国では24万件の検査に対して感染者1万人、感染後治癒が6千人で、治癒含む感染率が6％だ。米国の健康保険制度が劣悪で、ドイツの医療体制が世界有数であることを考えると、米独の感染率は妥当な感じだ。韓国も医療体制が良いし、BCGも関係しているかもしれない。英国では検査15万件、感染者4万人で、感染率が27％で米国より高い。これら以外の国々の検査数は、ざっと調べた範囲でわからなかった。検査数の統計は、世界的にほとんど整備されていない。各国の検査数を列挙した頻繁更新のまとめサイトもない。前提が国によってものすごく違う（積極検査する国がある一方で、日本のように検査せず隠す国も多い）のに、検査数と比較しないまま統計上の感染者数だけが独り歩きし、それをもとに「専門家」がしたり顔でテレビとかで解説している。全く（笑）な状況だ。国際政治的に、意図的な歪曲がありそうだ。

統計上の死者数も、別の意味で要注意だ。世界的に、イタリアの致死率が非常に高い（感染者の12％が死亡、百万人あたり263人が死亡）。スペインも似たような数字だ。しかし、イタリアの死者の99％は、他の病気を持っている「持病持ち」で、死者のほとんどが高齢者だ。新型ウイルスの死者統計は「新型ウイルスが原因で死んだのかどうか」が重要だ。今のイタリアのように医療体制が満杯で、院内感染が避けがたい状況だと、他の病気で入院している死ぬ間際の免疫が低下している人は大半が新型ウイルスに感染した状態になる。病院で死んだ人に対して死後のＰＣＲ検査を積極的にやると陽性がどんどん増え、それをそのままコロナ統計に載せると死者数や致死率がすごい数字になる。どこの国でも、毎日何万人もの人々がいろんな病気で死んでいるのが昔からの日常だ。病院での死後検査のさじ加減を変えるだけで、死者統計をいかようにも操作できる。どの国が、どんなさじ加減でやっているか不確定だ。コロナ統計がインチキでないと言い切る人は、専門家のふりをした詐欺師（さじ加減を決めている集団の要員）だ。

イタリアやスペインは以前から財政難で、いろんな口実を考えて、ドイツや北欧などEU内の財政緊縮が好きな諸国を説得・加圧して、ＥＵとして財政難な諸国を支援する政策を出させようとしてきた。リビアから地中海をわたって欧州に難民が流入した時も、イタリアは裏で難民（違法移民）の流入を加勢して難民危機を醸成し、危機を理由にＥＵがイタリアにカネを出す構図を作ろうとした（ドイツが頑強に反対した）。同様の構図で今回、

ＥＵでは、ウイルス感染と都市閉鎖に苦しむ諸国に財政支援する案が出ている。ドイツがカネを出すのでなく、ユーロ圏全体としての「コロナ国債」を発行し、それを欧州中央銀行がＱＥ（造幣）によって買い支える案も出ている。これらを実現する際に、イタリアやスペインでウイルスの感染者と死者が急増し、医療崩壊がひどくなっているという構図がとても役に立つ。イタリアやスペインの政府は、コロナ統計にすごい数字を載せるため、意図的にどんどん死者を検査している疑いがある。

米国でも、ニューヨーク州でのコロナ死者の99％が他の病気を持っていたと指摘されている。米国のコロナ死者数はイタリア、スペインに次いで世界第３位で、ＮＹ（＋ＮＪ）は米国の米国感染の半分を占めている。米国も、トランプ政権の（おそらく隠れ多極主義的な）意図に基づいて事態の悪化が加速されているようなので「99％トリック」が使われているのだろう。米国の場合、検査数（＝感染者数）を急増させているので致死率はあまり高くない。

日本は米国などと逆に、コロナ検査をできるだけやらない方針だが、毎日の検査数をどうするかのさじ加減は政府が握っている点は米国などと同様で、日々の感染者統計も操作された数字だ。五輪の延期を決めた直後から、日々の感染者数が数日ごとに１００人、２

00人、300人と増えていくよう設定されてきた観がある。米国が「最も苦しい1週間」を宣言したのに連動するように、安倍首相はイメージだけ衝撃的な「非常事態宣言」を発しようとしている。安倍は、トランプと連動している。トランプが子分の安倍に「五輪を延期してオレと一緒にコロナ危機を醸成しろ」と命じたっぽい。トランプは米経済（中銀ネットワーク、金融界）をぶっ潰したいから壮絶なコロナ危機を扇動し始めているが、安倍はもっと現実的で日本経済を大事にしたいので「非常事態を宣言しても行動の強制はできません。お店は目立たないように開け続けてもいいですよ」みたいな感じでやっている。

日本が都市封鎖しない理由

コロナ危機は今後も延々と続く。米国では全米40州あまりで都市や地域の閉鎖（ロックダウン）が行われている。米政府当局（CDC）は「新たな感染者や死者が出なくなるまで閉鎖を続ける」と宣言した。あと3カ月ぐらい（6月末ぐらいまで）は閉鎖が続くのでないか。ワクチンの開発にかかる時間は18カ月でなく5〜10年だ、という（常識的な）説も出てきている。来年になればワクチンができてすべて解決する、というのは幻想だ。

危機は長期化し、失業増、人々の生活苦がひどくなる。金融の再崩壊や銀行の取り付け騒ぎ、流通ルートの崩壊による食糧難と飢餓、暴動、州政府の財政破綻などの発生が予測される。有事なので、事態が悪化しても現職の権力者であるトランプの人気は下がらない。危機は延々と続くのだから、日本は閉鎖をやるべきでない。日本は今の状況で、世界に比べたら十分に感染拡大が抑制されている。中身のない非常事態宣言でマスコミを空騒ぎさせる現状ぐらいでちょうど良い。長期戦になるのだから、早々と人々に現金やマスクを配ったりして財政を無駄遣いしてはダメだ。医療的にでなく国際政治的に、これから何が起きるかわからないのだから、お金は大事に使うべきだ。

都市閉鎖について「閉鎖をせずに人々の行動を放置すると、多くの人が無症状や軽症のまま感染が拡大して年内に集団免疫ができてしまい、コロナ危機が自然に解決してしまう。医薬品業界がせっかくワクチンを開発しても売れ行きが悪くなる。各国政府を支配するエリート層にとって、これは歓迎できない。だからエリート層が各国政府に強い圧力をかけ、世界中の大都市で閉鎖（ロックダウン）政策をやらせ、感染拡大つまり集団免疫への進行を阻止し、ワクチンが先に開発されるように仕向けている」といった、ある種なるほど的な陰謀論が出てきた。ビル・ゲイツがインタビューの中でうっかり示唆してしまった話だという。集団免疫を国策にしようとした英国のジョンソン首相はコロナに感染させられ、症状が悪化して入院し、死の瀬戸際に追いやられている。

この陰謀論をもとに日本政府の昨今の行動を見ると、妙に納得がいく。安倍も「東京を閉鎖しろ」「ワクチンができるまで集団免疫を形成するな」という米欧の国際エリート層からの圧力を受けている。だが、閉鎖をできるだけやりたくないので「感染爆発しそうだ。外出自粛せよ」と、首都圏の人々を脅し、恐ろしげな非常事態を宣言しつつ、同時に「日本の今の法体系では、これ以上の強制はできません。閉鎖は無理です。敗戦国ですからね。75年前に今の日本の法体系を作ったのは米欧エリート様たちご自身ですよ。わが国の国是は対米従属なので、ご無理ごもっともですけどね」と言っているのでないか。敗戦国万歳。

4月9日

14章 日本のコロナ統計の作り方

検査数の推移

前回の記事を書いた後、新型ウイルスの感染検査（主にＰＣＲ検査）について、どの国が毎日どのくらいの検査数を実施しているかをまとめたサイトを、英オックスフォード大学などの研究者らが作っていることを知った。それによると、現時点（4月5〜8日）で累計検査数が多い順に、米国２１９万、ドイツ１３２万、イタリア81万、韓国47万、カナダ36万、豪州32万、トルコ25万、英国23万、スイス17万、オーストリア12万、ノルウェー11万、ベトナム11万、となっている。人口比（千人あたり）の累計検査数だと国別の順位が、アイスランド90、バーレーン31、ノルウェー20、スイス20、エストニア19などとなっている。このほかの主要国の千人あたりの累計検査数は、米国６・６、イタリア13・6、ドイツ15・9、韓国9・1、英国3・5だ。

今回、私が注目したのは日本についてだ。上記のサイトの日本の累計検査数は4月6日の時点で4万6172件だ。千人あたりの累計検査数は0・36で、とても少ない。時系列に見ると、日本の毎日の検査数は、日によって大きなばらつきがあるが、雑駁に言うと、3月中は1日に1千件前後だったのが、4月に入って1日に2千件前後に増えた感じだ。

このサイトの日本の数字は、厚生労働省が毎日発表している「新型コロナウイルス感染症の現在の状況と厚生労働省の対応について」に依拠している。ourworldindata.org は現時点で日本の分が4月6日までしかないが、厚生労働省は4月7日と4月8日にも発表している。それを見ると、顕著な変化が起きていることがわかった。

日本での1日のPCR検査数は、毎日の発表資料の中の、累計検査数である「PCR検査実施人数」の前日比が示しているが、その数は、4月3日が4936人、4月4日が3436人、4月5日が1757人、4月6日が1533人、4月7日が9139人、4月8日が6187人だった。日本政府は、非常事態を宣言した4月7日以降、日々のPCR検査数を急増したことがみてとれる。4月3~6日は毎日の検査数が1千人台から4千人台だが、非常事態宣言後、それが6千人台や9千人台に急増した。

日本における日々の検査数は従来、日によって大きなばらつきがあった。4月7日や8日の数字は一時的な急増なのかもしれない。9日以降、再び減るかもしれない。だがそうでなく、今後もずっと毎日5千人以上の検査が行われる場合、それは一つの大きな意味を持つ。検査数を増やすほど統計上の感染者数も増えるからだ（統計に載っていない感染者が、ほとんど無発症な状態で、統計の何倍も、何十倍もいる）。別の言い方をすると、統計上の感染者数を増やして国民に恐怖感を持たせようとするなら、日々の検査数を増やすのが良い。

日本政府が隠然策から転換した理由

人々の一般的な印象は「日本でもこれから感染が急拡大しそうだから、それを抑えるため政府が非常事態を宣言し、強烈な外出自粛を国民がやるしかない。経済が全停止し、大恐慌や倒産失業急増、貧困化になるが、感染拡大のためにはやむを得ない」というものだ。だが実のところ日本政府は、「これから感染が急増しそうだ」と言って非常事態を宣言した日から、感染者統計の増加につながる検査数の急増を手がけている。この2日間、政府統計上の日々の感染者数は急増せず、1日に300人が400人に増えた程度だが、一般的に、検査数を増やせば感染者統計が増えるのは間違いない。今の日本政府は、検査数を増やして感染者の増加を演出しているふしがある。

もともと日本政府が検査数をなかなか増やさなかったのは、検査数を増やすと公式な感染者が増え、公式な感染者は法律上、軽症や無症状でも入院が必要で、病院が満杯になって医療崩壊が起きるからだ。軽症や無症状の人は自宅待機で治癒できるが、彼らを公式に感染者と認めてしまうと彼らの近所の人々が感染を恐れてパニックになる。だから検査をできるだけやらず、重症者だけ入院させるのが日本政府の策だった。この策を続けていれば、そのうち治癒して抗体を持つ人が増えて集団免疫が形成され、コロナ危機を自然と乗り越えられるはずだった。

しかし日本政府は3月25日の五輪延期から4月7日の非常事態宣言にかけて、この従来の隠然とした集団免疫策を捨てた。日々の検査数を増やし、統計上の感染者数の増加を誘発して「感染が急拡大して医療崩壊が起きる」「それを防ぐには強烈な外出自粛をやるしかない」と騒ぐ政策に転換した。公式な感染者が増えても、軽症や無発症の人は自宅や政府指定のホテルにいて良いことになり、病院が満杯になることを防ぐことにした。感染者のほとんど（一説には98％）は軽症・無発症だからこのやり方で良いのだと、今ごろになって政府が言っている。

日本政府は、できるだけ検査せず感染者を隠す従来策を続けられなくなり、検査と感染者統計の急増を容認する策に転換した。なぜ転換したのか。前の隠然策が破綻したからではない。前の策はそれなりに機能していた。前の策が破綻したのなら、わざわざ政府が検査数を急増して感染者統計の増加を加速しなくても、自然に感染者（発症者）が急増していたはずだ。おそらく今回の日本政府の転換の理由は、感染の状況そのものと関係ない。米国や「世界政府」の側が日本に「都市閉鎖もしくはそれに準じたことをやれ」と加圧し、政策転換を命じたのだろう。

ここでいう「世界政府」とは、G20サミットと国連が合体した、リーマン危機後に作られた体制のことだ。G20+UNの新世界秩序は用意されたものの、米連銀など中央銀行群がQE＝造幣によってリーマンで破綻した債券金融システム＝米金融覇権を延命させたので、用意されただけで棚上げされてきた。今後、コロナ危機が続くと中銀群の「無限のQE」が破綻し、米国覇権体制が崩壊するので、そうなるとG20+UNの世界政府の体制が再び顕在化し、多極型の新世界秩序へと世界が移行する。

G20創設時に英首相だったゴードン・ブラウンは、すでに先日、コロナ危機解決のためのG20+UNの世界政府の再生を提唱したが、これはちと気が早すぎる。まず中銀群に、無限のＱＥをできるだけ浪費的にやらせて早々に破綻させ、米覇権を崩壊させねばならない。ＱＥを浪費するため、トランプは米連銀に、あらゆる金融商品の損失や、企業と政府の赤字をＱＥで補填させようとしている。

米政府はトランプと民主党が、それぞれ違った形でコロナ危機対策の財政出動・米国債増刷を提案しまくっている。増刷される米国債は中銀群がＱＥで買い支える。米欧日の中銀のＱＥが穴埋めせねばならない借金と損失の総額をできるだけ大きくするため、トランプと世界政府は、米欧と日本にできるだけ厳格なコロナ対策としての都市閉鎖をやらせ、経済をできるだけ長く全停止させようとしている。これが、安倍政権が非常事態宣言によって経済の全停止をやらされた理由だろう。

現時点で最良の解決策は「集団免疫策」しかない

軽症や無発症で感染した後に治癒した人は体内に抗体を持ち、他人に感染しないし他人からも感染させられない。広範な抗体検査によって、抗体保有者を確定していき、彼らに「抗体保有証明書」を持たせれば、彼らを対象に職場を再開し、交通機関や飲食店なども彼らを対象に再開できる。この「集団免疫策」が現時点で最良のコロナ危機の解決策だ。

先週ぐらいまで、それがマスコミでも言われていた。

しかしその後、集団免疫策は急速に言及されなくなっている。言い出しっぺの英政府は「抗体検査は確度が低いとわかった」と言い出し、集団免疫策を棚上げした観がある。代わりに世界（米国と世界政府）は、感染拡大防止策として徹底的な都市閉鎖をやることにしたが、都市閉鎖は感染拡大を先送りするだけで、閉鎖を解いたら感染が再発し、問題解決策にならない。都市閉鎖はコロナの解決策にならないが、経済を全停止させて経済を大恐慌に陥れ、中銀群の無限のＱＥを早めに破綻させる「利点」がある。

新型ウイルスは、若者より高齢者、女性より男性が重篤に発症しやすい。集団免疫の観点からは、若者や女性にうまく少しずつ外出させるのが良いが、日本の現状のプロパガンダは正反対の方向だ。重篤に発症した一部の若者の存在を誇張して報道し、若者をビビらせて外出を自粛させている。女性が男性より重症になりにくいという世界的傾向は、日本において「専門家」によって「確定した傾向でない」と軽視無視されている。一律に外出自粛させる政策は、コロナ感染を解決することが目的でなく、経済を全停止させて中銀群のＱＥと米金融覇権をできるだけ早く破綻に追い込むための国際的な策だと考えられる。

集団免疫策をやりかけた英国のジョンソン首相は、コロナ感染して集中治療室に入院したが、肺炎にはなっていないと発表された。肺炎になっていないのにＩＣＵに入ったのは、用心のための措置だという。人工呼吸器もつけておらず、軽症のようだ。実はジョンソンは感染しておらず、集団免疫策をやろうとして暗殺（本当にＭＩ６あたりにコロナ感染させられて致死）されかねなかったので、先制的に感染したことにしてＩＣＵに用心（暗殺回避）のため待避したのかもしれない。ジョンソンが元気なら、いったん棚上げした集団免疫策をいずれ再開するだろう。ワクチンがない現状では、集団免疫の獲得しか解決策がない。これだけは確たる事実なので何度も書く。

第二部

世界大不況の始まり

——がらりと変わった世界

2020年
3月4日

1章 不確定がひどくなる世界

「良質な陰謀論」の重要性

新型ウイルスの脅威が強まり、あちこちでパニックが発生する中で、世の中では「正しい知識を身につけましょう」「正しい手の洗い方」「デマや陰謀論に惑わされないようにしましょう」といった言説がしつこく流布している。しかし実のところ、このウイルス自体がどんなものなのか権威筋もわかっておらず、そもそもウイルスに関する「正しい知識」がまだ存在していない。ウイルスの発祥地が武漢の野生動物市場なのか国立研究所なのか、自然発祥なのか人為が絡んでいるのかも不確定なままだ。中国政府は、自然発祥説を裏づける十分な証拠を出さない（出せない）まま、他の説への拒否や処罰だけやっている。怪しい。

経済面も同様だ。世界が大不況に入るのが確実なのに、株価が暴落した直後に急騰したりする。しかも日銀など中銀群が株のＥＴＦ（Exchange Traded Funds、上場投資信託）や債券を必死で買い支えている。金融マスコミは、巨大な悲観論を無視して「（わずかな）楽観論に反応して株が急騰」みたいな報道をする。これを「正しい知識」として受け入れろという方が無理だ。信じたくても信じられない。「中銀群がＱＥ（Quantitative Easing、量的緩和策）で（不正に）株を買い支えている」という「陰謀論」の方が自然だ。だが「陰謀論を信じてはいけません」という「お達し」に絡め取られ、自分で考える力がない人は、何か変だなと思うだけで思考をやめてしまう。地球温暖化人為説なども同様だ。

権威筋による公式論・正論の多くがしだいに信じるのに無理がある歪曲的な「邪論」に成り下がり、世界観の確定が困難になる不確定化がひどくなっている（9・11あたりから）。ウイルス危機によって、その傾向がぐんと増した。人類の多くが、1週間後に自分が発症せず元気でいられるかどうか不確定な状態になった。だからこそ、権威筋による正論の押し売りがひどくなり、「間違った言説」に対する取り締まりが強まっている。大事なことに関する真偽が不確定になるほど、上からの真偽の決定力が強くなる。それを、独裁系の諸国は露骨に、民主主義偽装系の諸国（日米欧など）は巧妙にやっている。

この事態の中で、人々の対抗策は、正論が正しくて陰謀論が間違っていると考える「正しい姿勢」をこっそり棄て、どう考えるのが最も自然かを考える「頭の体操」を繰り返すことだ。そのうちに、何が正しそうかが見えてくる。出てきた独自説を人に信じてもらおうと説得しなくて良い。多くの人は小役人気質が強いので、権威のない独自説をまっとうに聞いてくれない。頭の体操によって出てきた結論は話半分に聞いてもらえば良い。柔軟な考え方の人は、なるほどと思ったら聞いてくれる。陰謀論は、頭の体操の格好の材料だ。世の中が不確定になるほど「良質な陰謀論」が重要になる。私は従来、できるだけ確実なことを書こうとしてきたが、事態が今のようなひどく不確実になると、確実さを求めているといつまでも記事が書けない。全体を見た上での直感や洞察が大事になる。今回はその線に沿って、頭の体操の材料を提供すべく書いていく。

イランでのウイルス拡大は軍産による攻撃？

新型ウイルスに関して最近気になっていることの一つはイランでの感染拡大だ。イランでは、23人の国会議員や副大統領、ウイルス対策担当の厚生省次官ら政府中枢の人々が大量に感染した。発症は、イランで権力を握る聖職者群が住んでいる聖都コムから広がっている。最高権力者ハメネイ師の重要顧問（Mohammad Mirmohammadi、71歳）が発症して死亡した。彼はハメネイと頻繁に会っていたはずだから、ハメネイも感染している可能性がある。イランは中国と関係が深いので、イランに来ていた中国人から感染が広がったと考えられるが、よりによって権力中枢のコムから発症したのは意味深だ。

イランは、米イスラエル（軍産）が強く敵視している。軍産は、イラン中枢の大量感染を知って「やったぜ」と喜んでいるはずだ。これは偶然の結果なのか？　イランにスパイを送り込んでいるはずの軍産が、何らかの方法でイランの中枢で感染を広げたのではないか。これが軍産による攻撃だとしたら見事な命中、大成功だ。中国での感染拡大も、米国が中国への敵視を強める中で起きている。ここ数年、中国とイランは、ロシアとも連携してユーラシアで覇権を拡大し、米国を追い出している。ウイルス危機を地政学的に見ると、軍産から中露イランへの攻撃になっている。

とはいえこの説は、一歩掘り下げると不都合な事実もある。一つは、日韓や米欧など同盟諸国に対するブローバックがひどいことだ。世界経済の成長を牽引してきた中国経済をウイルスで止めたのは米覇権にとって自殺行為だ。米国の覇権を支える金融システムが崩壊に瀕している。とはいえ、この矛盾は、中国でウイルス危機を起こしたのが、米覇権の運営者のふりをして破壊するネオコンやトランプ傘下の隠れ多極主義の勢力だったと考えると解消される。

2つ目の難点・不明点は、どうやってイラン中枢にウイルスを放出したかだ。中国では、軍産のスパイにされた研究者を動かし、武漢のウイルス研究所のバイオセーフティな実験室内にあったウイルスが間違って外に漏洩するように仕掛けることで今回の事件を引き起こせる。しかしイランでは同様な作戦がとれない。軍産の仕業であるなら、別のやり方が必要だが、それは多分永遠に謎のままだ。イタリア北部と同様、偶然イランのコムで感染のクラスターが発生しただけかもしれない。

とはいえ地政学的に見ると、軍産からイランへの見事な攻撃になっている。さらに、隠れ多極主義の観点から言うなら、今回のウイルス危機でイランはいったんひどい目に合うが、その後立ち直ったイランは、国内の穏健派が手がけてきた米国との共存・和解を希求する動きをしなくなり、以前より強く自国周辺から米国を追い出そうとする。イランは、イラク、シリア、アフガニスタン、カタール、レバノンなどの国々で、米軍など米国勢を追い出していく。中国も、もうユーラシアにおける米国との共存を求めなくなる。ロシアは前からそうだった。イラン中露はウイルス危機を経て、ユーラシアや中東から米国を追い出す努力で結束する。

日韓が中国からの入国を止めないのは共同市場化の一環？

ウイルス関連で最近もうひとつ考えたことは、今回のウイルス感染拡大に際し、日本と韓国の政府が、自国内でどんなに批判されても中国人の入国を禁止せず、日中、韓中、日韓の3か国間の人の流れをかたくなに開放し続けていることの理由についてだ。「日韓政府は、ウイルス感染した中国人が無自覚なまま国内を旅行してウイルスをまき散らして帰るのを放置した」と批判されている。日本と韓国は「観光業界への経済打撃を恐れるあまり近視眼的な入国政策を維持した」と説明されている。私は最近、別の見方をしている。日韓が中国との3か国間の往来を止めなかったのは、3か国が経済統合していく第一歩としての「共同市場」の体制をとっているからでないかというのが私の新しい見立てだ。

それは、このウイルスがイタリアで急拡大した時、EUがイタリアと周辺諸国との国境を閉鎖せず、世論やマスコミに非難されてもかたくなに国境を開け続けたことを知った時に気づいた。EU諸国は市場統合・共同市場化をやっており、内部の国境を開放し続け、経済的にEU諸国全体がひとつの国内のように振る舞っている。新型ウイルスの感染は長引き、下手をすると来年まで続きかねないので、いったんEU内部の国境を閉めたり検問強化したりすると、その規制は長く続き、市場統合策が後退してしまう。むしろ国境を開けたままにして国内であるかのように対処して乗り切れば、次に似たような危機が起きた時に対処しやすくなり、長期的に市場統合策を強化できる。

このEUと同じことを、日中韓もやっているのでないか、というのが私の見方だ。日中韓は、中国中心の地域覇権の一部として、数年前からRCEP（東アジア地域包括的経済連携）の一部などとして共同市場化をやっている。EUは明示的・鳴り物入りで共同市場化をやったが、日中韓は目立たないようにやっている。日中韓の場合、日韓はまだ対米従属で、米国は（表向き）中国敵視だから、日中韓が経済同盟国として共同市場化を大っぴらにやるのは政治的にまずい。米国の覇権はいずれ衰退し、日韓の対米従属も終わる。日中韓の共同市場化はその先を見越した動きで、米国も黙認している。日中韓の共同市場化は目立たないようにやっているので、ウイルス危機に際して国境を閉めないとなると「早く閉めろ」と世論から非難されることになる。

新型コロナウイルスの感染は世界の多くの地域に広がり、すでに「パンデミック」（世界的流行病）と呼ぶべき状態に入っている。米国防総省は3月1日、これから30日以内にパンデミックが宣言されそうだと表明した。新型ウイルスはすでに南極以外の全大陸で発症者を出し、パンデミックである。だがＷＨＯはパンデミックだと宣言したがらない。なぜ宣言しないのか。その理由について私は最近の記事で、パンデミック宣言すると世界的な不況と金融危機がひどくなるので、世界各国と金融界がＷＨＯに宣言するなと圧力をかけているのだろうと書いた。

その後、もっと大きな規模の話として、これから危機が長引きそうな今回のウイルスがパンデミックとして宣言されると、世界を米国中心の単一の市場として機能させてきたグローバリゼーションの状態、つまり米国の経済覇権体制が終わるので、パンデミック宣言に反対する勢力が多いのではないかと考えた。そして多分、パンデミック宣言が出た後も、日中韓やＥＵ諸国内の人の往来は開放され続ける。パンデミック宣言によって往来が宣言されるのは、日中韓と米国の間とか、ＥＵとその外側の諸国の間などになるのでないか。そうなると、パンデミック宣言によって世界経済は、旧来の米単独覇権の体制から、多極型の体制に転換していくことになる。今回のウイルス危機は長く続くうえ、米国と中国、ＥＵなどとの貿易戦争・経済デカップリングと並行して進んでいるため、米覇権の解体と多極化を大きく促進する。

金融崩壊から多極化へ

最後に金融について少し書く。先週、米国など世界の株価が暴落したが、それ以来、株や債券や金地金など各種の金融相場の動きが暴落と暴騰を繰り返す異様な乱高下になっている。株や社債の市場からの資金逃避が加速し、10年もの米国債金利が1％を割るという異常事態になっている。米連銀がトランプに圧力をかけられて0・5％の利下げをしたのに株価の上昇は1、2時間しか続かず下落に転じた。米連銀の利下げという伝家の宝刀が効かなくなっている。異様な事態の連続は、これが単なる景気悪化による需給の変化でなく、リーマン危機を越える金融システム自体の危機であることを感じさせる。世界的なウイルス危機が3月中に山を越えることはない。山を越えるのは早くて4～5月だ。危機はまだ初期だ。金融崩壊はこれからひどくなる。危機が長引くので、債券システムが再起不能にバブル崩壊して潰れてしまう可能性が高い。

株価が暴落し、米連銀が利下げする中で、「忠臣クロダ」の日銀が勝手に日本の国運をかけてステルスQEを急拡大し、米国の債券市場と米日の株価をテコ入れし始めた。忠臣クロダは、2015年から米連銀のQEを肩代わりしており、自ら（日本）を犠牲にして殿様（米国）を助ける動きを続けていたが、それが2018年ごろから限界に達していた。

今回、忠臣クロダは再び身を投げ出して殿様を助けようとしているが、もう余力はかなり少ない。日銀が挺身的にステルスQEを再拡大しても、史上最大の米国中心の金融バブルの崩壊は防げない。これは日本を金融破綻させる。従属先の米覇権（殿様）も潰れ、日本は中国に従属するしかなくなる。金融崩壊には特効薬もない。多極化が進む。

3月8日

2章　株から社債の崩壊に拡大する

日本とアメリカの隠蔽工作

横浜への入港を許可したばかりに「船内感染を止められなかった」と内外から日本政府が失策のレッテルを過剰に貼られて猛烈に非難された、日本にほとんど無関係な米船会社のクルーズ船「ダイヤモンド・プリンセス」の姉妹船である「グランド・プリンセス」が、米国で似たような大騒動になっている。同船は、米西海岸沖を航海中に船内で新型コロナウイルスの感染者が21人（増加中）見つかり、カリフォルニア州への帰港を州知事が拒否した。その後、オークランドへの帰港が許されたが、この騒動の過程でトランプ大統領が驚くべき（本音の）発言を放った。トランプは「（統計上の）米国の感染者数を倍増させるので帰港させたくない」と発言した。

トランプは表向き、早急に百万回分の検査キットを用意する計画をぶちあげるなど、どんどんウイルス検査して正確な感染者数を発表するかのような姿勢をとっているが、実のところは正反対に、できるだけ感染者数を増やさぬよう、検査もせず、感染の実態を隠蔽したいと思っていることが、この発言によって暴露された。検査キットも、約束の百万回分のうち、実際に用意されたのは8万回分だけだ。米国の統計上の感染者数は約450人(増加中。間もなく日本を上回る)だから、「倍増」ということは乗員乗客3500人のクルーズ船で450人の感染を見込んでいるわけだ。日本政府のクルーズ船対策を事後的に非難した米政府のお手並み拝見だ。

感染拡大に対して、安倍の日本は比較的整然と隠蔽策を続けているが、米国はもっと混乱した状況下で隠蔽策を続けることになりそうだ(日本も大混乱だと思う人が多いかもしれないが、世界の混乱に比べると大したことない)。米国は統計上の感染者数が現時点で日本よりやや少ないが、すでに死者が日本の3倍の19人になっている(増加中)。米国は欧州と同様、爆発的な感染拡大になっているように見える。カリフォルニア、ワシントン、NY、ハワイなどの州が非常事態を宣言した。日本の統計上の感染者数はいまや独仏伊より少なく、日本政府の隠蔽工作が世界有数の巧妙さであることが示された。やはり日本の役人は優秀だ（憤）。

米国経済を襲う打撃の数々

米国の感染対策が混乱して発症者が急増するほど、米経済に対する打撃が大きくなり、米企業の赤字が急拡大する。米連銀（ＦＲＢ）がいくら資金を注入したり利下げして株価を維持しようとしても、下落圧力の方が大きくなる。米国など世界の株価は、２月17日からの週と24日からの週の２週間で合計10～15％暴落した後、３月２日からの週は利下げと中銀群の資金注入などの株価対策によって乱高下しつつ横ばいだった。だが３月９日からの来週は再び株価暴落になりそうで、その前兆である米国債の金利下落と円高ドル安が今週末に起きている。これから３月下旬にかけて、米国などの株価は、まだあと15％ぐらい下がると予測されている。下落を緩和するため、米連銀が再び利下げをやり、次は０・75％の大幅利下げになるとか、４月には米国がマイナス金利になるという予測も出ている。

利下げしても景気浮揚の効果は少ない。利下げは、企業の負債の金利負担を減らし、そのぶん企業が本業を拡大できるので景気をテコ入れする仕掛けだが、今はウイルス危機で経済のほとんどの分野の需要が急減し、利下げしても需要や生産は拡大しない。米連銀の利下げは、トランプの圧力に応えるだけの「弾の無駄遣い」だ。株価対策としては、すでに日銀がやっている、中央銀行が株式やETFを買い支える不正な策の方が効果があるが、これは中央銀行がすべての株を買って全企業を「国有化」するだけで、株価（投資家）だけ救済して実体経済（国民）を良くしない。

株の暴落は危機の序の口だ。先週末、株価の暴落よりも恐ろしい社債の暴落（金利高騰）の兆しが見え始めた。米国債の金利は史上最低だが、社債の金利は上がり出している。3月6日、アメリカン航空やマクドナルドなど、米国の航空、レンタカー、クルーズ船、外食、石油ガスなど、ウイルス危機による経営悪化が不可避な業界の社債の金利が大幅上昇（債券の価値が下落）し、債券破綻への保険であるCDSの指標が急騰（保険料率が急上昇）した。これはリーマン危機の初期にあたるサブプライム危機の際に起きたことと同じだ。サブプライム危機からリーマン倒産まで1年の時間があった。対照的に今回は、米国へのウイルス危機の波及が突然なので、諸業界の業績悪化や債券のリスク高騰も突然だ。しかもウイルス危機はまだ始まったばかりだ。事態はリーマンの時よりずっと悪い。

債券は、今の世界経済の「底上げ装置」だ。カネ余り現象を生み出し、企業が倒産しにくくなる錬金術だ。株より債券の方が経済の機能として重要だ。今週、来週と、危機は株から債券（国債でなく社債）に拡大し、社債市場が急速に悪化する。今月中に米連銀など先進諸国の中銀群は、株と債券に対する大規模なテコ入れ策をやるだろう。それで効かなければテコ入れを増額する。連銀が、これまで「ＱＥじゃない」と言ってきたテコ入れ策の「隠れＱＥ」（レポ市場介入）を正式にＱＥと認めるという予測も出ている。

テコ入れ額をどんどん増やすと最終的にどうなるか？　世界の株と債券の総額は60兆ドルぐらいだから、売られる分をすべて中銀群の資金で買い支えていくことが、全く考えられないことではない。米連銀はＱＥ最盛期の資産総額が５兆ドルで、世界の株と債券の総額はその12倍だ。がんばれば、もしかしたら買い尽くせる（デリバティブを含むともっと巨額だが）。米国中心の従来の国際金融システムを破綻させたくなければ、中銀群が資産総額を60兆ドルまで増やす覚悟で買い支え続けるしかない。全部買い支える覚悟ができたなら、あとは相場が下がったら買い支えの速度を上げれば良い。中銀群は３月中に覚悟を決めてＱＥや株の買い支えを加速するのでないか。中銀群がすべての金融商品を買い支えた後、何が起きるのかはわからない。

途中で中銀群に対する人々の信用が落ちたらどうなるか。最もありそうなのは、人々が中銀群の諸通貨（ドルや円やユーロ）でなく金地金を持ちたがるようになることだ。人類の価値の最後のよりどころである金地金の価値に対して人々が覚醒してしまうと、中銀群の負けになる。金地金を大幅上昇させてはならない。中銀群は先物を使い、最近上昇力が増している金相場を上がらないようにしており、この傾向は今後も続く。中銀群は覚悟を決めるだろうから、金相場も上がりにくい。上昇していくのは不可避かもしれないが、その際に急騰と暴落を繰り返す。

米国では社債市場のほか、民間銀行どうしの相互信用の度合いを示す銀行間短期融資市場（レポ市場）も危機がひどくなっている。レポ市場では、民間銀行どうしで融資しきれない分（大手銀行が中小銀行を信用しなくなり貸さなくなった分）の資金を米連銀が貸すレポ介入（資金の入札）を昨秋から続けているが、2月5日に、入札に対する応札がこれまでの最高率（1・15倍）になった。民間銀行間の信用が失われている。この現象も、リーマン危機時と同じだ。

社債の危機は、米国の石油ガス産業、とくに債券発行で赤字を埋めて自転車操業してきたシェールの石油ガスの採掘会社を破綻させる。米国のシェール産業は、石油価格の下落と、債券危機（社債金利の高騰）という二重の危機に見舞われている。先週末、ＯＰＥＣとロシアが石油の減産を話し合った。米国はサウジに圧力をかけてＯＰＥＣに減産させて石油価格を押し上げようとしたが、米シェール産業を潰して米国を弱体化したいロシアは減産を拒否して破談にさせ、石油価格を下落に誘導した。米国はロシアにやられている。

お金とウイルスの話で書きたいことはもうひとつある。「お札にはウイルスがついている。現金は使わず、スマホの電子マネーを使うべきだ」とＷＨＯや（その親分の）中国共産党政府が言っていることについてだ。最近では米連銀も言い出した。中国や米国の中銀は、使用済みのお札を焼却したり検疫したりしていると発表・喧伝している。私が見るところ、こうした宣伝・扇動の意図は、匿名で決済や備蓄ができる現金でなく、すべての決済と備蓄行為を政府が監督できる電子決済を人々に使わせ、世界的な現金廃止に持っていき、政府による統制力を強化することである。ウイルスが付着しうる紙はお札だけでない。日本がいまだに現金決済が主流で、それが時代遅れで間抜けなことだと軽信者や中国共産党傀儡が言い出しているが、彼らは覇権上層部の「現金廃止戦略」の本質を見ていない。中国が賢い新興覇権国で、日本が間抜けな衰退国になったのは間違いないのだが。（悲）

3月11日

3章　史上最大の金融破綻になる

史上最大のバブル膨張状態下でのウイルス危機

3月9日、新型コロナウイルスの感染拡大を受けた世界経済の混乱に拍車がかかった。株や債券など金融市場の悪化ぶりはおおむね3月8日の前回記事で予測した通りになった。株の暴落が拡大しただけでなく、社債や銀行間融資（レポ）の市場の悪化に発展した。危機になっている株や社債からの資金を逃避先である米国債は史上最高値の状態で、10年もの米国債の金利が0・5％を割るなど異様な事態になった。

米国では、短期金利がゼロになる前に、長期金利がゼロになりそうだ。米国の短期金利はまだ1％で、おそらく米連銀は3～4月中に利下げしてこれをゼロにするのだろうが、利下げは全く効果がない。利下げは経済が少し悪くなる時に効くもので、今のようにいきなり経済が全停止する事態には効かない。前回の記事に書いたように、今の危機への対策は、米連銀など中央銀行群が潰れるまでQEを再拡大して株や債券を買い支え続けるしかない。

3月10日には世界的に株価が大幅に反騰した。米国債金利も再上昇し、恐怖心による株から米国債への資金逃避がややおさまった。だが、事態の改善は一時的なものだ。金融システムの根幹にあるべき「相互信用」が消えているからだ。危機は悪化しつつまだまだ続く。銀行間融資のレポ市場や債券市場は、怖くて誰も出したがらなくなり、少し前までの金余り状態が消失し、一転して強烈な資金難に陥っている。レポ市場では、大手銀行が中小銀行を信用せず資金を貸さなくなり、そのままだと中小銀行が破綻しかねないので、米連銀（FRB）が日々の資金供給額を2日連続で急増した。ジャンク債の金利も上昇傾向だ。ウイルス危機は欧米で拡大する一方なので、米国経済はこれから急な減速が露呈していく。今週末か来週に暴落が再発しそうだ。

米国中心の国際金融システムが健全な状態であるなら、ウイルス危機による実体経済の世界不況が起きても金融が決定的に破綻することはないだろう。だが今の国際金融システムは史上最大のバブル膨張の状態であり、金融の救済役である中銀群は弾切れであり、金融システム全体がとても脆弱になっている。長期化が必至なウイルス危機が金融バブルを崩壊させ、リーマン危機や百年前の大恐慌をしのぐ人類史上最大の金融破綻と経済危機になることが予測される。

日本では「東京五輪が行われれば経済効果があるので株価が再上昇する」といった考え方があるが、全く馬鹿げている。日本のこれまでの株価上昇の理由の99%は日銀のステルスQEによる買い支えだ。五輪の株高効果はマスコミ＝詐欺屋の騙し文句である。問題は、陳腐でくだらない五輪などの話でなく、日本の当局が、円高と米国バブル救済の両方を満たす策として、公的年金基金や郵貯銀行などに、米国の（これから暴落が加速する）社債のたぐいを大量購入させようとしていることだ。日本の年金は自滅させられる。日本人は大馬鹿だ。自業自得だ。

原油価格をめぐる各国の思惑とサウジの対米自立

3月9日以降の動きで最も興味深いのは、サウジアラビアが原油を大幅に安売りして世界に売りまくり、原油相場を30%暴落させたことだ。サウジはＯＰＥＣを代表して数日前までロシアと話し合い、ウイルス危機による世界的な原油需要の急減への対策としてロシアとＯＰＥＣで産油量を減らし、原油価格の下落を防ごうとしていた。ロシアは、ライバルである米国のシェール石油産業（ジャンク債を大量発行して赤字を埋めているため今後の債券危機でやばくなる）を潰したいので減産に賛成せず、露サウジ交渉は結局破談した。サウジは対米従属なので減産して米シェール産業を助けてあげたかったのだという（間違った）筋書きで報じられている。

サウジはロシアとの交渉決裂後、大方の予想に反して突然の大規模な増産に踏み切り、しかも売り先に対して大幅な値引きをやったので原油相場が暴落した。マスコミによると、サウジが原油を値引き大量販売したのは、言うことを聞かないロシアを制裁するためだという。ロシアは政府の財政収入を原油の輸出に依存しているため、原油相場の大幅安値が続くと財政難に陥ると言われている。この説明は一見なるほどだが、この説明は米国のシェール石油産業のことを忘れている。

しかも近年のロシアは最大の石油輸出先が中国で、中国はロシアの石油ガスを超長期で一定価格で買っているので、石油価格が上下してもロシア政府は財政難にならない（中国はロシアの石油ガスを安定的に買い上げ、その見返りにロシアは中東や中央アジアなどを軍事外交を使って安定させ、中国が経済進出しやすいようにしている）。サウジの大増産による原油暴落の戦略は、ロシアへの制裁でなく、米国のシェール産業に対する制裁だ。

もともとサウジは、ムハンマド・ビン・サルマーン（以下ＭｂＳ）皇太子が権力を持ち始める２０１４年秋、米国のシェール革命が本格化して「米国は石油輸出国になった。もうサウジは要らない」と言い出したことに反応し、原油を増産して石油価格を引き下げて米シェール産業の赤字を急増させ経営破綻に追い込もうとする策略を開始した。それを反逆行為とみなした米国（軍産複合体）は、２０１５年３月にサウジとイエメンとの戦争を誘発し、サウジがイエメン戦争に勝つために米国の言いなりにならざるを得ないように仕向け、サウジはシェール産業潰しの策をやめざるを得なくなった。米国はその後トランプ政権になって、サウジを巻き込んでイラン敵視を強化する策をとり、ＭｂＳのサウジは不本意な対米従属を続けざるを得なかった。

ＭｂＳは、米国やトランプに対する従属を好んでやっていたわけでない（対米従属が心底好きな日本と違う）。米国の覇権が低下し世界が多極化するなか、サウジはできれば対米自立したいが、米国・軍産の策略に巻き込まれて動けなかった。昨年来、米国はシリアやアフガニスタン、イラクなど中東から撤兵する覇権放棄策を進め米国に代わってロシアや中国、イランの覇権が拡大し、サウジが強いられている対米従属は時代遅れで間違った策になった。MbSのサウジは、何かきっかけをとらえて国策を対米自立に転換する必要に迫られていた。そして、そのきっかけが、今回のウイルス危機による米国の金融破綻だった。サウジは、以前にやりかけて潰された「米国シェール産業を原油安によって破綻させる策」を再開した。

MbSは、直裁的にやると敵を増やすのでロシアと組んで茶番劇をやった。サウジはまず、米傀儡のふりをして「OPECとサウジで協力して石油を減産しよう（それによって米シェール産業を救済しよう）」とロシアに要求・提案し、サウジとロシアは交渉する演技をした。反米的なロシアがサウジの減産要求を拒否する演技を行い、怒ったサウジが拒否したロシアを制裁するためと称して石油を安値増産し、原油相場を暴落させた。ロシアの財政は原油安に対して脆弱ということになっているが実はそうでなく、米国のシェール産業が最大の被害者になり、シェールなど米エネルギー産業が発行してきた社債・ジャンク債の金利が上昇し、社債が紙くずに近づいている。この状態が2~3カ月も続けば、米シェール産業が次々と債務不履行になって破綻していき、社債市場全体へと破綻が連鎖する。米連銀など中銀群がQEを拡大して米国の社債を買い支えれば、破綻せず延命する。

これまで約半世紀にわたり、米国の言いなりになって国際原油価格を動かしてきたサウジ主導のOPECは、すでに事実上消滅したと指摘されている。米国覇権の下請け機関だったOPEC、G7、NATOなどは、いずれも有名無実化が進んでいる。隠然と対米自立するサウジは、配下のUAEに命じてイランとの和解交渉を進めさせている。

政府財政を原油の輸出に依存しているのはロシアだけでなく、サウジ自身も同じだ。今のような大幅な原油安が続くとサウジの財政難が懸念され、サウジ王政内で、MbSの米国・軍産に楯突く策に対する懸念が強まる。サウジの王室内には米国の軍産とつながった勢力が多数おり、有力な王族たちがMbSを追い落とす政権転覆策を画策しかねない。そのためMbSは、大増産による原油暴落を開始する直前に、有力な王族たちに濡れ衣をかけて次々と逮捕する強硬策を展開した。今回のサウジの原油の安値大増産は、対米従属への転換策であり、後に引けなくなったMbSは米シェール産業や米社債システムが潰れるまで増産を続けそうだ。対米自立したサウジは中露と結託し、イランと和解していく。

3月15日

4章

史上最大の金融破綻になる　その2

株価暴落よりはるかに危険な米国債の金利上昇

　先週の世界の株式市場は水曜日と木曜日に暴落した後、3月13日の金曜日に反発・暴騰して1週間を終わった。株だけを見ると下落傾向の乱高下を続けている。だがその裏で「13日の金曜日」に、まさに不吉な感じで悪化が顕在化したのが債券市場だった。「株から社債の崩壊に拡大する」（第二部2章）の題名どおりの展開だが、驚きなのは米国で社債だけでなく長期米国債もシステム危機っぽく下落（金利上昇）し始めていることだ。米国債は3月10日に10年ものの金利が0・4％を割る異様な史上最高値になった。暴落する株から、安全資産と言われる米国債に資金が逃避・流入してくる動きであり、ここまでは「まっとうな危機」だった。

だがその後、3月10日から13日にかけて、米国債の金利が再び上昇した。この時期、新型ウイルスの危機が米国に波及し、米国の多くの産業が事業の停止や縮小を余儀なくされ、米経済の劇的な悪化が不可避になった。それを受けて株価も、乱高下しつつ大幅下落の傾向が続いた（米連銀など中銀群によるテコ入れで時々反騰した）。株式市場の危機が拡大したのだから、ふつうに考えると米国債に資金が逃避・流入し続け、国債金利の下落が続くのが自然だった。だが実際は逆方向で、長期国債の金利が上昇し続けた。今後、この金利上昇が止まらず10年ものが3％を超えたりすると、債券システム全体の危機になってしまう。それは、株価暴落よりはるかに危険なことだ。米国債は、米国主導の世界の金融システムの根幹に地位するものだからだ。いったん金融システムが壊れるともう元に戻らない（リーマン危機後、債券システムの一部が壊れたままで、それを中銀群のQEによる資金供給で穴埋めしてきた）。

3月16日からの今週やその次の週に、長期米国債の金利上昇が止まれば、それは中銀群のQEやPOMO（Permanent Open Market Operations、恒久公開市場操作）といった資金注入の政策に効果があり、金融市場が中銀群によって延命させてもらう従来の体制がまだ生きていることになる。だが、今後も米国債金利の上昇が続くと、それは「あり得ないこと」の発生であり、人類の金融システム・米国金融覇権体制の終焉になる可能性が高くなる。

長期米国債の不気味な金利上昇の理由として考えられることは、ウイルス危機が米国に波及し、急激な不況入りによって、米国の企業や金融機関が米国債でなくドル現金を保有したがっていることだ。売上金の穴埋め、借金の返済、給料の支払い、仕入れ金の決済、預金の払い出しなどに、突如として巨額の現金が必要になっている。米国は1月以来、軍産マスコミとトランプの両方が、ウイルス危機の米国への波及を過小評価し続けてきた。企業や金融機関、一般国民の備えがなく、先週あたりから突然のウイルスパニックになり、経済活動が急停止し、株価が暴落し、買い物客が殺到してスーパーの棚が空になり、トランプが非常事態を宣言する事態になっている。

QEの効果が出るかどうか

この事態の中で、ドル現金への需要が急増し、銀行間の融資市場（レポ市場）で資金が枯渇し、米連銀（FRB）が巨額の資金を注入しても枯渇状態があまり改善せず、為替は円安ドル高になり、米国債を含む債券と株から資金が流出（現金化）する事態が起きている。米国の企業は一般に、日本や欧州の企業よりも負債漬けの状態だ。融資や起債といった負債生成は信用に依存しており、パニックで相互信用が崩壊した場合の経済崩壊のひどさは、負債が多いほどひどくなる。米国でのウイルス危機のパニック的な発生過程と、米国企業が借金漬けであることが、今回の金融システムの危機をひどいものにしている。国際金融システムは世界的な存在であるが、米国が中心だし債券発行残高も米国が圧倒的に多いので、米国がパニックになると世界がパニックになる。

今後、世界の株価は再び暴落する。株価は先週末に異様に反騰したが、これは大きな暴落の過程で起きる一つの局面だ。過去の大きな暴落を見ると、いったん暴落したあと急反発し、その後また暴落している。今回もそれだろう。今回の暴落が始まったころ「米連銀など中銀群は、40％ぐらいの株価の下落を許容し、その後はＱＥなどの資金注入の再強化で下落を止め、横ばいや再上昇にもっていくのでないか」といった予測を見た。現時点で世界の株価は1月の最高値から30％ほど下落している。予測が正しいなら、株価の下落はあと10％になる。

だが、すでに米連銀の資金注入策は効かなくなっている可能性が高い。米連銀は先週、米国債の金利上昇を止めるため、造幣による米国債の買い支えであるＱＥを3月13日に再

ＱＥで買い支えても米国債の金利上昇を止められなかった。今週や来週、ＱＥで買い支えても米国債の金利上昇が続く場合、もうＱＥが効かなくなっていることが確定してしまう。ＱＥは、中銀群の伝家の宝刀、最強なはずの最後の頼みの綱だった。ＱＥが効かないなら、金融システムは「おしまい」だ。株や債券の崩壊に歯止めがかけられなくなる。先週が例外的なパニックだったなら、今週以降、事態が少し落ち着いて再びＱＥが効くようになるかもしれず、その点が注目だ。

ＱＥが効いたとしても、ウイルス危機による実体経済の世界的な停止状態はまだまだ続く。だれもリスクを取りたくない状態が続く。企業活動の停止が続くと、企業は資金が足りなくなり、起債した社債を償還できず破綻・デフォルトし、それが連鎖して社債市場のシステム危機が起きる。実体経済の復活の見通しが全くないので、社債市場の崩壊はほぼ不可避だ。これまで株価の上昇は、企業や金融機関が債券発行して作った資金で株を買って実現してきた。社債市場が崩壊すると、株を買う資金もなくなり、株価はさらに暴落する。

中銀群が破綻しそうな債券をＱＥで買い支えて社債市場の見かけ上の崩壊を防いで延命するやり方がリーマン以来行われてきた。今後、中銀軍が上限額なしで挺身的に社債市場といを延命させることに成功するなら、「債券と株のすべてを中銀群が購入・保有する」というとんでもないやり方で、世界の金融システムを維持しうる。これは以前の記事にも書いた。最終的な延命策はそれしかないが、それが可能なのかどうか。ジャンク債の平均的な利回りは先週、危険水準の8％を超えた。社債の危険さを示すＣＤＳの数値（債券破綻に備える保険の料率）も急騰している。すでに債券システムはリーマン危機と同程度の崩壊寸前な状態だ。

ＱＥと並んで利下げも、中銀群の伝家の宝刀だったが、利下げもすでに効かない政策になっている。米連銀は3月3日に0・5％という、従来の常識（0・25％が普通）だと大胆といえる下げ幅の利下げを挙行したが、ほとんど効果がなかった。実体経済の需要が少し減るという従来型の景気悪化なら利下げが効くが、今回のように突然の需要の急減・事業の急停止には利下げが効かない。「フィナンシャル・タイムズ」や「ウォール・ストリート・ジャーナル」もそう書いている。金利が安くても、だれも事業を拡大しない。今週か来週、米連銀は再度の利下げをすると予測されている。0・75％とか1％とか、前回よりさらに大胆な下げ幅になりそうだ。だがほぼ間違いなく、次の利下げも効かない。3月中に、米連銀など中銀群は、ＱＥと利下げという2本の伝家の宝刀のいずれもが効果を失っていることを露呈し、弾切れの状態になるかもしれない。利下げはもう無意味だ。QEが効くかどうかだ。

あらゆる相場が下落する

米国では、民間銀行間の相互不信もひどくなっている。銀行間の相互不信を示す数値（金利差）であるFRA／OISの数値が急上昇している。他行から資金を借りられない銀行のために、米連銀が3月13日に銀行間融資のレポ市場での資金供給を1・5兆ドルから5兆ドルに急拡大したが、それでも用意した資金が足りなかった。銀行はどこも巨額の債権・債券を持っており、企業が連鎖破綻すると銀行も破綻する。銀行間の相互不信の悪化はリーマン時と同様だ。

先週は金相場も暴落した。金地金は、ドルや債券システムの究極のライバルであり、債券システムが崩壊しているのだからドルから地金に巨額の資金が移動して金相場が高騰するのが自然だ。だが現実は違う金相場では、先物を使って中銀群（たぶん日銀の担当）が相場を下落させる「ライバル潰し」の策が何年も行われており、今回の債券危機でも、地金への資金流出を止めるため、中銀群が金相場を暴落させている。今週はさらに金相場が続落するかもしれない。金が再反騰するのは、中銀群が米国債の金利上昇を止められない事態になった後だろう。投資家が米国債まで見放すと、それはドル崩壊であり、あとは金地金しか価値の保有道具がなくなる。

金地金と同時にビットコインも下がっている。これも、ドルでない備蓄物を求める投資家の動きを止めるための中銀群の策略だろう。危機はまだまだ続く。

3月19日

5章

無制限の最期のQEに入った中央銀行群

どこまで量的緩和政策を続けるのか

3月15日の日曜日、米国と日本の中央銀行が、崩壊しかけている金融市場に対する巨大な資金注入策を相次いで発表した。日銀は「ステルスQE」の大幅な増加を決め、米連銀は昨年9月から続けてきた銀行間融資市場（レポ市場）への資金注入（隠れQE策）の急拡大と、それとは別に債券を直接に買い支えるQEの再開（QE5の開始）を発表した。米連銀は金利を1％引き下げてゼロ金利にする大幅な利下げも実施した。米連銀は3月17日から、CP（短期社債・手形）の買い支えも事実上のQEの一つとして開始した。

QEは不健全な策なので、米連銀は2014年末にQEをやめた後、金融界から再開を要請されても断ってきた。昨秋から実体経済の悪化に伴って米国の金融システムが不安定になり、米連銀はレポ市場介入を続けてきたが、連銀はこれをQEであると認めることを拒否してきた。昨年から脆弱だった米金融システムは、新型ウイルスの感染拡大による世界と米国の経済の劇的な停止を受け、株価暴落や社債金利の上昇、銀行間信用の崩壊などの多面的な金融危機に陥っている。

3月15日の日米中銀のQE急拡大の決定は、中銀群が、QEが中央銀行を不健全にする毒薬であるというマイナス面を気にしていられなくなり、最後の切り札である「無限のQE」を開始したことを意味している。欧州のECBも、一足先に3月12日にQEの再開を決めている。QEは、金融市場をQE中毒にしてしまうなど悪影響が大きいので、以前のQEは3~5年程度の時限的な政策だった。だがおそらく中銀群は今回、市場をQE中毒にしても仕方がないと考えている。今回のような全面的で劇的な金融崩壊に対しては、QEしか対策がないからだ。金融市場は今回のウイルス危機の前からとても脆弱だった。QEは市場を蘇生する策でなく延命する策なので、市場を再び独り立ちさせて中銀群がQEを終えていく展開は期待できない。中銀群は、自分たちの信用が崩れるまで、ドルや米国債の崩壊まで、QEを続けるつもりだろう。

3月15日の日米中銀のQE急拡大の発表後、株価はまず暴落した。「中銀群がQEを再開しても効かなかった。もう弾切れだ」とオルタナティブメディアがコメントした。だがその後、株価は下落傾向が続いているが、株より重要な米国債の相場は、下落（金利上昇）するたびに不可解な反発（金利下落）が起きている。中銀群はＱＥ資金で米国債を買い支え、10年ものの金利が１・２％を超えないように介入している感じだ。米国債の金利が上昇すると最悪のシステム危機になるので、それを防ぐために中銀群がＱＥ資金で金利上昇を抑止して反落させているのだろう。株式の分野では、日本株の下落幅が、米国株よりなだらかになっている。これは日銀がＱＥ資金を使い、日本株をＥＴＦで買い支えているからだろう。

多分これからしばらくは、株や債券の相場が下落するたびにＱＥの資金が入って反発、または急落が抑止されてなだらかになる傾向が続く。株は、債券よりも重要でないし、ウイルス感染拡大で世界経済が不況入りする中で株価のバブルが続いているのはおかしいので、中銀群は株価のある程度の下落を容認するかもしれない。たとえば米国の代表的な株価指数であるＳ＆Ｐ５００はピーク時から３割下がったが、あと１割ぐらいの急落を容認した後、横ばい傾向に転じるようＱＥの資金を注入していくつもりかもしれない（これは無根拠な予測なので、このシナリオで株を買ってはいけない）。

QEが各相場を歪曲している

だが、米国と世界の経済状態は、もうすぐ株価の下落が止まりそうな状態からほど遠い。米国の企業は、航空会社、ボーイング、石油ガス、小売、飲食などの分野でこれからどんどん倒産していくことがほぼ確実だ。世界的に失業が急増している。株式相場がある程度の下落で止まると考えること自体が間違いで、今からさらに半値以下になる可能性もある。これまで米株上昇の最大の要因だった自社株買いは2度と行われないだろうと予測されている。

ＱＥは、米国などの世界の国債、株式、金地金、仮想通貨の相場を歪曲している。日銀などがＱＥ急増を決めた直後の今週初めに金相場が暴落したが、これも、株や債券など紙切れ金融システムに対する信頼を喪失した投資家が金地金購入に転換していくのを、金先物を使って金相場を暴落させて阻止する、中銀群による「出口ふさぎ」の策だろう。金相場が大きく動く前に円ドル相場が動くことが多いので、ＱＥ資金で金の売り先物を買って金相場を暴落させることは、中銀群の中に主に日銀の担当になっていると考えられる。金地金の国際相場は昔から先物と現物の市場が統合されており、中銀群や金融界が金融バブル（ドルや債券）を維持するため、金先物（紙切れ）を使って金相場を下落（上昇防止）

してきた。

今回のウイルス危機でいよいよ金融バブルが崩壊しそうなので、多くの人々が債券や株を見限り、ドルの現金ですら不安なので、金地金に対する需要が世界的に爆発急増している。各地の地金取引業者の地金の在庫がなくなって、売り切れ状態になったり、プレミアムが拡大している。それでも、金相場は急騰するどころか先物を使って暴落させられている。マスコミは、昔から続くこの巨大な不正が激化していることに関して何も報道していない。経済マスコミは金融界（紙切れ側）の傀儡だからだ。

債券市場では、ジャンク債の金利が９％を超えてじわじわと上昇している。企業の倒産や業績悪化が必至なのだから、これから社債やジャンク債が次々と債務不履行になっていくだろう。それを見越してジャンク債の金利が上昇し、ＣＤＳ（債券破綻保険）の掛け金も上がっている。ＱＥの資金はジャンク債の相場をもテコ入れしていくと考えられるが、中銀群が、破綻しそうな企業の債券を買い込んで債務不履行に陥るのを止めていくのかどうか不明だ。航空業界や石油ガス業界は、米政府に支援金を出してくれ、救済してくれと強く求めており、米政府が救済に動く場合、米連銀など中銀群も潰れそうなジャンク債を買い支えて金利高騰を抑止するかもしれない。しかし、それをやると経済界の中銀群に対する不健全な依存が強まる。

すでに、いくつもの分野の業界が、今回のウイルス危機による需要の急減や、それを引き金にした金融バブルの崩壊を自力で乗り越えられず、中央銀行や政府にすがって助けてもらうしかなくなっている。中銀群や政府群が「不健全だから」と言って救済を拒否していると、倒産や信用と金融の崩壊が連鎖的に拡大して世界経済が全崩壊してしまう。それを防ぐには、中銀群と各国政府が、不健全なQEや財政出動（財政赤字増）の政策をあえて急拡大するしかない。だがしかし、それをやると、政府や中銀に対する各業界からの依存が強まってしまい、どんどん巨額の資金が必要になり、中銀や政府の造幣や財政の余力が予測より早く尽きてしまう。

政府の財政赤字の拡大は、中銀の勘定拡大よりも政治的に目立つので、リーマン危機後の米国でも、財政赤字拡大による救済策（不良資産救済プログラムであるTARPなど）は初めの4年間（2008～12年）だけで、その後は中銀群のQEだけが頼りになった。今回も今のところは、トランプ政権が財政出動しているが、いずれは中銀群への依存が強まる。中銀群は「無限のQE」をやらざるを得なくなっているが、これは経済全体が中銀群のQEに依存する状況につながり、中銀群がすべての不良債権の買い支えや赤字の補填をやらされる事態になり、意外と早く力尽きて破綻しかねない。

中銀群が、いつどんなかたちで破綻するのか、まだ想像できない。あえて想像してみると、ジャンク債から米国債へと金利の高騰が波及して手がつけられなくなった挙句に債券市場の全体が広範に取引停止に陥るかもしれない。金相場も抑止しきれなくなって高騰した後に値が付けられなくなっていったん市場が破綻し、その後ようやく先物に抑止されない金地金の本物の現物市場が立ち上がってくるといった展開が考えられる。これから金融界は市場を運営しきれなくなり、夜逃げ的なやり方として、市場の閉鎖や、市場ごと破綻する事態が増えるかもしれない。違う意味合いではあるが、社会主義者のドゥテルテが支配するフィリピンは3月17日、ウイルス対策にかこつけて、株式や債券、為替などすべての金融市場を無期限に閉鎖した。

不健全なQEでどこまで事態を延命できるか

ＱＥについて、以下にこれまでの流れをまとめた。米日欧の中央銀行群が、造幣で作った資金で債券や株式を買い支え、金融システムの中核に位置する債券市場（国債と社債）を延命するＱＥ（量的緩和）の政策は、２００８年のリーマン危機によって崩壊したまま自力で蘇生できなかった債券市場を蘇生したかのように見せかけて延命するために行われてきた。中銀群がQEによって買い支える債券は、民間が買いたがらない事実上の不良債権であり、QEを続けていると中銀群は不良資産が肥大化して不健全になり、信用低下を引き起こしかねない。そのためリーマン危機後、最初に大規模なQEを手がけた米連銀（FRB）は、2014年まで6年間QEを続けた時点でやめることにして、代わりに日銀と欧州中央銀行の日欧勢がQEを肩代わりした。日欧も2018年には不健全が懸念される事態になり、QEに頼る戦略は行き詰まった。

しかし当時、リーマン危機から10年たっていたのに、債券市場は自立的な蘇生をしておらず、QEがないと金融危機が再発する状態だった。QEは債券市場の蘇生を促すどころか、逆に、債券市場をQE依存の中毒状態に陥らせていた。2018年末に日欧中銀がQEをやめていくことを決めると金融危機が発生した。そのため中銀群、とくに日銀は、QEをやめると言いつつやめずに黙って続ける「ステルスQE」の状態に移行してQEを続行し、金融システムを延命させてきた。ECBもQEを延長したが、EUの盟主で緊縮派のドイツの反対が強く、規模はかなり縮小した。日銀は、QEで作った円資金を国内金融機関を経由してドルに替えて米国市場に注入し、米国の金融市場をテコ入れしてきた。日銀の黒田総裁は、日本のために動いているのでなく、米連銀の隠れた一員として米国のために動いてきた。

米国中心の国際金融システムの最重要な部分は、信用を資金に替える債券市場だ。株式市場は、政治的・社会的に華やかで目立つものの、経済的には債券市場より下位だ。株を買う資金の多くは債券市場で作られており、株価の上昇には債券の堅調が必須だ。リーマン後のQEは、もともと債券市場の延命策だが、政治的な（腐敗した）理由により、QEの資金は株価テコ入れにも使われている。米国では、QEの資金が社債市場を経由して大企業の自社株買いの資金になり、株価を押し上げる最大要因になっていた。トランプは、株価上昇こそ自分の経済政策の成功の結果だと豪語している。自社株買いが制限されている日本では、日銀がQE資金の一部で株式のETFを買い、アベノミクスや東京五輪の「成功」を象徴する株価上昇の最大要因になってきた。

昨年の前半は日欧中銀のQEで米国の金融バブルが維持されていたが、昨年後半になると世界的な実体経済の悪化が加速し、金融バブルの再崩壊が懸念されるようになった。そのため米連銀は昨年9月から、民間銀行間の相互信用の低下を穴埋めするかたちで、民間銀行間の融資市場（レポ市場）に資金を供給する事実上のQEを再開した。QEは不健全な政策なので、米連銀は「レポ介入はＱＥでない」とウソを言い続けてきた。米連銀がウソをつきながら資金注入せねばならないほど、米国中心の世界の金融システムは昨年から脆弱だった。そのため、ウイルス危機で世界経済が突然死すると、金融システムは一気に崩壊感を強め、米連銀など中銀群はあらゆる手を急いで講じねばならなくなった。

今後、ＱＥ資金を全開で注入しても米国債の金利上昇を止められなくなったら、それが中銀群と金融システムの終わりになる。それはもう不可避だろう。いつまでもつか、いつ力尽きるかという話だ。中銀群は最期の策として、無制限のＱＥを開始した。これがいつまで事態を延命できるかが今後の注目点になる。

3月20日

6章 長期化し米国覇権を潰すウイルス危機

各国の思惑と対応

人類を襲っている新型ウイルス危機は、欧州と米国の感染拡大がひどくなる一方、発祥地の中国と、その周辺の日本と韓国などでは、感染増加が一段落し、事態が比較的安定している。中国は日々の新たな発症者がかなり減った。韓国も一時の急増が止まった。日本はまだ急増したことがない。中国や日韓では、ウイルス感染が最初に武漢で発生した時から事態が注視されており、政府当局や人々は感染拡大がひどくなっていくことに対して身構え、事前の準備がある程度できていた。日韓に感染拡大が波及し始めた（水際作戦が崩れた）のは、中国が武漢を閉鎖した3週間ぐらい後の2月中旬だった。

欧米は、感染拡大が始まったのが日韓より3週間ほど遅れて3月上旬だった（死者急増の始まりはイタリアが3月8日、米国は3月15日ごろ)。日韓中より準備できる期間が長かった。だが米国や欧州諸国は大した準備をせず、特に人々の事前の危機感がほとんどなかったため、実際に感染が急拡大するとパニックがひどくなり、イタリアなどで病院がパンクし、事態が不必要に悪化している。

ＥＵは、域内の加盟諸国間の国境検問をなくして自由往来を維持する「シェンゲン条約」の体制を維持してきた。シェンゲン体制は、ＥＵの経済を強化する市場統合の基盤だった。今回、シェンゲン体制をいったん破棄して加盟諸国間の国境を早めに閉鎖すれば、イタリアから他の諸国への感染拡大をある程度防げた。だがＥＵの上層部は、加盟諸国の反対派(ナショナリスト、ポピュリスト)を説得抑圧しつつ苦労して締結したシェンゲン体制を壊したくなかった。いったん国境の閉鎖や検問を再開したら、再び開放的なシェンゲン体制に戻すのが難しくなる。ＥＵ上層部は頑固に国境開放を維持した。そのため、イタリアから仏独西など他の諸国に感染が急拡大してしまい、手遅れになってから各国が耐えられなくなって勝手に域内の他国との国境を閉鎖し始めた。シェンゲン体制は無秩序な形で崩壊し、ＥＵは域内だけでなく、ＥＵと域外との国境も閉鎖することになった。各国ともウイルス危機を経てＥＵ反対派が今後さらに増えそうで、シェンゲン体制の再生は困難だ。

（ＥＵの失敗を、上層部の誰かが意図してやったものと考えると、既存の軍産傀儡のＥＵ上層部の支配体制を壊し、ＥＵを対米自立・親露的なポピュリストに乗っ取らせる「隠れ多極主義」的な別の見立てもできるが、今回はそちらに入らない）

ＥＵと同様、日韓中も市場統合のために相互の自由往来体制を続けており、ウイルス危機初期の1月末から2月中旬にかけて、日韓が中国からの人々（感染者）の流入を止めずに自由往来体制をかたくなに維持してしまったため、札幌雪まつりの中国人観光客から北海道全域へのウイルス急拡大の惨事などが起きた。ＥＵも日韓中も、経済を優先して国境を閉めなかったため、感染拡大を防ぐ好機が失われた。だが、好機喪失によるウイルス危機拡大の規模は、日韓中より欧米の方がはるかに、桁違いに大きい。ＥＵは陸続きなので、空路の日韓中より日々の越境人数が多い。

3月20日、韓国では新天地教会の惨事があった大邱市で再び感染者が「急増」して「非常事態」になっていると報じられた。だが、韓国のこの日の感染者の増加は百人ほどだ。同日、欧米での感染者の増加はイタリアで6千人、ドイツで5千人弱、スペインで3千人強、米国で6千人弱となっており、韓国と桁が違う。

日本は、この日の感染者の増加が64人だった。とても少ない。日本は、感染が疑われる人に対してできるだけ検査をしないことで感染を隠蔽し、感染者の統計を過少に出している。日本は医療体制の充実を自慢するくせに、統計上の感染者数に占める死者の割合が3％で、韓国の3倍だ。嫌韓屋の言うとおり日本の医療体制が韓国より進んでいるのなら、日本の実際の感染者（軽症者）は統計の5倍にあたる5千人ぐらいいるのが自然で、8千人の韓国と似た水準になる（日本の人口は韓国の倍だが）。

日本政府が不正をしているのは間違いない。だが不正をしても、欧米諸国のように発症者が毎日何千人という単位で急増してしまうと隠し切れない。軽症なら、家で寝ていろと言って検査せず追い返せるが、重症になって入院したら院内感染を防ぐためウイルス検査が必須になる。感染者を過少にごまかす不正は一定の幅でしかやれない。日本政府の不正がうまくいっているということは、日本の感染者（というより発症者）があまり増えていないからだ。不正があってもなくても大差ないことがわかる。

米国は、日本みたいな不正をやりたくて失敗した。トランプの米政府は「百万回分の検査キットを用意してどんどん検査する」と宣言したのに、8万回分しか用意しなかった。日々の検査数が少ないので、これでは感染の実態を把握できないと専門家から不満が出ている。米国はまさに日本と同じ不正をやっている。そもそも日本（安倍）に対し、できるだけ検査をしないことで感染者数をごまかそうぜと持ちかけたのは米国（トランプ）だろう。しかし結局、米国は各地で重篤な発症者が多数出てきて感染者が欧州諸国並みに急増し、日米談合・アングロ日本連合の不正の体制は破綻した。英国も発症者が急増している。

不正は大してやれるものでないことを踏まえた上で再度、日韓中の感染増加が一段落していることと、欧米の感染増加が爆発していることの対照性について考えてみる。私が言いたいことは、欧米がダメで日韓中（中国とその家来）がすぐれているといった、最近自信満々の傲慢な中国人たちが言っているようなことでない。私が重視するのは、日韓中の感染増加が一段落したのだから、いずれ欧米の感染増加も一段落することだ。日韓中は、国民に占める感染者の比率がとても低い状態で、感染増加が一段落している。

「実は終わっているのに、終わりのない危機」が続く

今回のウイルス危機の最終的な全体像について、欧米の権威権力がある人々が口々に言っているのは「人類の5〜8割が感染し、そのうち1〜3%が死ぬ。世界的に5〜6月が感染のピークになる」という予測だ。これより大幅に低い予測（たとえば、人類の5%が感染するといった予測）は存在しない。そしてこの、人類の5〜8割の感染予測をふま

えて、実際の世界の感染者数の統計を見ると、2つの数字の間に大きなギャップがあることに気づく。実際の統計の感染者数は、人口比が最も多いイタリアでさえ、6千万人の人口に対して5万人の感染者で、感染者が国民の0・1％しかいない。軽症や無症状で未検査の感染者がその10倍ぐらいいるとして、現時点でイタリアの実際の感染者は国民の1％とか、そんなもんだろう。

この数字は「国民の5～8割が感染」という最終的に予測される姿とかけ離れている。日韓中は、感染者の比率がイタリアより低い状態（国民の1％以下）で感染者数の増加幅が減り、安定期に入った観がある。このままの趨勢が続き、日韓中で1日に百人以下の統計上の感染者（発症者）の増加がずっと続くとしたら、実際の感染者を統計の10倍（千人）と考えても、それが人口の5割（日本だと6千万人）に達するまでに、日本の場合6万日（164年間）もかかる。あり得ない。今後、日本や韓国で統計上の感染者が毎日1万人ずつ増えるような事態になるのか？　それも考えにくい。

ひとつ考えられる「修正」は、このウイルスのものすごい感染力から考えて、実際の感染者数の増加が1日千人でなく、もっと幾何級数的な増加幅の拡大がすでに起きているという新たな仮説だ。日韓では軽症や無発症で感染して体内に抗体を作って終わった人が人口の何割かに達し、集団免疫が形成されつつあるので、日々の新たな感染者（多くは中程度以上の発症者）の統計の増加幅が減っているといった仮説が成り立つ。この場合、実際の感染者に占める、病院に行かねばならないほどの重篤な発症者の割合は、極小の1％以下とかになる。軽症の人は感染から数日で症状が消えるという話も出ている。この仮説は、かなり楽観的ではある。この仮説が正しいとしても、よっぽど簡単・安価で正確に感染を測定できる検査方法が登場して全人類を検査してみようという話にならない限り、検証は不可能だ。

「人類の5〜8割が感染し、何千万人も死ぬ」という、いかにも恐ろしげな予測を各国の政府筋が発表する理由の一つは、各国の国民の間に「発症してもふつうの風邪と一緒だろ。外出や社交をするなという政府の要請は無視して良い」といったウイルス軽視の考えが多いためだ。イランの政府の保健省は、ウイルスを軽視して出歩く国民が多いので脅しの意味を込めて国営放送に恐ろしげな報道をさせたと本音を言っている。ドイツのメルケルは人気が下がり、自分の政権の後継者（アンネグレート・クランプ＝カレンバウアー、AKK）が2月に辞めてしまうなど政権維持が危うくなっていたので、メルケル自身の権力の再掌握・引き締めの意図も込めて、国民の6〜8割が感染すると宣言した観がある。

日本では、権威筋がこの手の予測を全く出してこないが、それは日本人が従順で、脅して従わせる必要などないからだ。「人類の5～8割が感染」は政治的な数字だ。だが、他の数字は出ていない。これが唯一の公式な予測像だ。

結局のところ「人類の5～8割が感染する」という最終的な全体像と、各国とも1日に百人から数千人ずつしか感染者が増えていかないという統計数とのギャップがいつまでも残る。もしかすると実際は、5～7月ごろには全人類的に何億人かの単位で集団免疫を獲得できるのかもしれないが、そのころになっても感染者の統計は人類全体で百万人とかの水準なのだろうから、2つの人数の間の大きなギャップは消えない。このギャップが残る限り、世界的にウイルス危機が続き「まだ感染は拡大している」「国際的な人々の移動を制限し続けねばならない」「できるだけ自宅から出るな」「飲食店を再開してはならない」といった社会と経済の両面での大きな制限が残る。実は終わっているのに、終わりのない危機が続く。

ウイルスが米国覇権体制を破壊する

経済活動が世界的に前年比20～40％減少し、多くの企業が倒産して債務が不履行になり、すでに起きている社債・ジャンク債の金利高騰がもっと激しくなり、米国中心の世界の金融システムが破綻し、米国の覇権を支えてきた巨大な金融バブルが崩壊し、戦後の米国覇権の体制が終焉する。2つの人数の間の大きなギャップは少なくとも今年じゅう、ずっと消えないので、ウイルス危機は終結宣言を出せないまま続き、世界経済のV字型の回復もない。経済は少しずつしか回復せず、L字型に近くなる。

今回の新型ウイルスは実体が不明だ。いろんなことが不確定なまま放置され、その一方で恐怖心やパニックだけが扇動され続ける。実際に重篤に発症して苦しんだり死んだりする人もけっこういるが、それが日本で何百万人も出てくるわけではなさそうだ。たぶん最終的に、それほど多くの人が重篤に発症するものではない。それでも「あなた自身を含む、驚くほど多数の人々が発症したり死んだりする」という脅しが今後も流され続け、金融バブルの崩壊で米国覇権体制が不可逆的に完全に潰れるまでそれが続く。

これは、ある種の国際詐欺である。隠れ多極主義的な詐欺だ。米覇権に対する前回の自滅策であるリーマンショックでやり切れなかった米金融システムの破壊を新型ウイルスがやってくれている。QEで金融システムを延々と延命させている中央銀行群を潰すための策でもある。これが意図的なものであると仮定すると、いろんなことに合点がいく。大量破壊兵器の存在詐欺によって米国覇権を失墜させたイラク戦争と似ている。

ゴールドマンサックスは先日、顧客に向けて、新型ウイルスの予測的な全体像を発表した。それによると、米国では国民の半分（1・5億人）が感染し、2カ月後（5月半ば）に感染がピークになる。ウイルスは従来の風邪と同様、北緯30〜50度に発生が集中しており、寒い気候を好む。夏に少しおさまるが、冬に再発する（英国政府と同じ予測だ）。感染者のうち80％は軽症、15％が中程度、5％が重症。重症は高齢者に集中する。米国で300万人が死ぬが、この死者数は米国の例年の年間死亡者と変わらない。死者が倍増するのでなく、もともと死にそうな人がコロナで死ぬのだから、死因が変わるだけで、全体の死者数はあまり増えない。

人々を最大限に恐れさせ、世界経済を大恐慌に陥れ、米国覇権を崩壊させ、覇権構造を多極化するが、死者数はあまり増えない。ゴールドマンはとってつけたように「ウイルスは、米金融界の史上最長の上げ相場を終わらせるものの、金融システム自体の危機にはならない」と言っているが、これは全く（笑）である。現状は、金融システムの危機以外の何物でもない。

3月26日

7章 史上最大の金融バブルを国有化する米国

株価高騰のからくり

米日欧など先進諸国の株価は、先週までウイルス感染拡大を受けた都市閉鎖による経済停止の影響で暴落の傾向だった。だが今週に入り、先週の暴落分を取り戻す勢いの反騰を続けている。米国の平均株価は、先週末に10％暴落し、今週初めに10％暴騰した。米国では今まさにウイルスの蔓延が加速し、感染拡大を止めるため米国の人口の3割にあたる8600万人の地域が封鎖され、外出禁止になって経済が急停止した状態だ。企業や店舗の大半が休業に追い込まれ、これがあと1カ月も続いたら倒産や失業が急増する。中国での先例から考えて、都市閉鎖は2カ月ぐらい続けないと感染拡大を抑止できない。米国の都市閉鎖も2カ月は続きそうで、その間に米国経済がどんどん破綻していく。そうした事態をふまえると、先週末の株価の暴落は自然な流れだ。だが、今週の株価の反騰は全く奇妙で、常識的な需給関係で説明がつかない。

今週の株価の暴騰は、需給関係からでなく、米連銀（ＦＲＢ）や日銀などの中央銀行群が先週から加速したＱＥ（造幣による債券や株式の買い支え策）との関係で説明する必要がある。中銀群はＱＥの資金を使い、株価の下落傾向を抑止するだけでなく、下落傾向を反騰傾向に変えるところまで強めることにしたので株価が急に反騰したと考えられる。

今回の株の反騰は、私にとって意外だった。金融システムを崩壊させず維持するためには、株式より債券を優先して守る必要がある。債券は経済の根幹である資金調達の安定性をつかさどり、債券市場が崩壊して金利が高騰すると企業や政府の資金調達が困難になって経済が機能不全に陥るからだ。株価の下落の方が悪影響が少ない。そのため私は、中銀群がＱＥの資金で債券（国債、社債）の買い支えを優先する一方、株価の下落を容認するのでないかと考えていた。実際は違っていて、中銀群は株価の下落も容認せず、先週の暴落分を今週に反騰させ、株を史上最高値の状態に戻そうとしている。その目的は金融システムを守ることでない。

目的は多分、米政界を動かす力のあるエスタブリッシュメント・資本家たちが株式の大半を持っていることと関係している。トランプ大統領の再選願望も関係している。エスタブ群は、ＱＥ資金を使って自分たちが持っている株式の価値を高値に戻したい。株が高値に戻れば、株価が自分の経済政策の正しさを示す指標だと言ってきたトランプも、今秋の選挙で有利になる。中銀群の中には、従来の株価が高すぎたので下落を容認すべきだと考える人も多かっただろうが、エスタブやトランプの私利私欲に圧され、ＱＥの資金が金融機関などを経由して株式市場に流入し、先週の暴落分を穴埋めする暴騰が実現された。これはＱＥの私物化・無駄遣いであり、巨大な不正・腐敗である。中央銀行は「政府から自立した機関」なので、その政策決定の経緯は公開されず秘密だ。そのため、中銀群がエスタブ救済の不正をやっていることも秘密のままだ。

ＱＥの資金は、これまでも株価の上昇に使われてきた。いくらでも造幣できる中銀群は、意のままに株価（や債券金利）を操作できる。株価は、需給で動いている市場のふりをしてきたが、実のところ需給は関係なかった。「株価が上昇しているから（実際は不景気なのだが）景気が良い（ことにする）。景気が良い（という粉飾をされている）から株価が上がる」といった詭弁で上昇が説明・正当化されてきた。以前はそれでも「市場のふり」がばれないように隠然と行われてきたが、ウイルス危機の発生後、うまくウソをつける範囲を大きく超えて実体経済が崩壊し、大恐慌の中で暴落した株価が反騰するという、明らかにおかしな事態になっている。

巨大な金融バブルを国有化

日本では何年も前から、日銀がＱＥの資金でＥＴＦを買って株価をつり上げる不正行為を大っぴらにやっており、日銀はＥＴＦを通じて日本の上場株の70％を保有する大株主となり、日本の大企業の多くが「国有企業」になっている。米国では従来、企業が債券発行した資金で自社株を買って株価をつり上げ、連銀がＱＥの資金でその債券を買う間接方式が採られてきた。米国は「企業の国有化」でなく「金融バブルの国有化」になっている。これまで米国の金融市場は、デリバティブなど野性的な民間市場の象徴をたくさん持ち「国有化」から最も遠い存在だった。金融市場がもう潰れるので、最期は政府（国民）からできる限りのカネを搾り取って潰れよう、というのが国有化を望む金融界の魂胆だ。

ＱＥが腐敗し、無駄遣いされるのは株式だけでない。株式以外の分野でも、金融バブルの国有化が進んでいる。米連銀は先週から、米国債、不動産担保債券、ウイルス危機によって経営難になる業界（石油ガス、航空、小売など）の社債をＱＥ資金を使って買う政策を始めている。不動産担保債券の多くは商業不動産を担保としており、ウイルス危機で店舗や企業が休業し、商業不動産は取引が95％の減少になっている。多くの債券が、資金の還流を失ってデフォルト寸前だ。金融界は、不動産担保債券が不良債権になったので米連銀に買い支えてもらうことにした。

ウイルス危機で経営難になっている業界の社債も、その業界がウイルス危機で破綻寸前なのだから、ほとんど不良債権である。少なくとも今後2カ月間は各国の国際線や国内線の旅客機がほとんど飛ばず、その間に世界の航空会社の多くが経営難に陥り、国有化か倒産を迫られる。石油ガス業界も、ウイルス危機と同期してロシアとサウジが開始した原油安値戦争による原油安（現在1バレル25ドルぐらいだが、今後10ドルまで下がるとの予測がある）で、油井の多くが採算割れしている。米国の鉄道会社アムトラックも旅客が92％減って経営難がひどくなり、米政府に救済を求めている。石油ガス、航空、鉄道など、倒産寸前の多くの会社の負債を米国の連銀と政府が買い支える。米連銀と政府は、不良債権を高値で買い取らされ、不良債権のゴミ箱として機能することになる。

米国の企業は全般的に、日本や欧州よりも借金漬け・バブルまみれの傾向が強い。多くの米企業が巨額の借金を抱えてウイルス危機に直面し、倒産しかけている。多くの企業が、あと2カ月は続く米経済の閉鎖・停止状態を乗り切れずに破綻する。米企業が破綻すると、債券購入や融資の形で米企業に金を貸している金融機関や投資家が連鎖破綻する。金融界や投資家は、連鎖破綻させられたくないので、米連銀や政府に圧力をかけ、QEや財政出動で自分たちの債券や融資債権を買わせようとしている。米国は、巨大な金融バブルを国有化しようとしている。米政府はすでに財政赤字が高水準なので、無限の買い支えを担当させられるのは主に連銀・FRBとその傘下の日銀など中銀群である。

米国の金融市場は、すでに市場として機能していない。中銀群がどれだけQE資金を注入して買い支えるかによって相場が上下しているだけだ。市場の主なプレイヤーは中銀群だけだ。これがあたかも市場の動きであるかのようにマスコミがウソの報道を続け、軽信的な人々を騙し続けられるように、市場っぽい形をとっているだけだ。

トランプのシナリオと金利上昇の危険性

米国の感染者数がイタリアを抜きそうな急増で、近いうちに中国も抜いて世界一の感染者数になりそうだ。それなのにトランプは「4月12日のイースターまでに、全米各地の閉鎖を解除して経済を再開したい。経済を潰してウイルス対策をやりすぎるのは良くない」

と主張している。米政府の医療専門家たちは「閉鎖は5月末ぐらいまで必要だ（トランプの案は非常識だ）」と言っている。トランプもおそらく自分自身の案の非常識さを知っている。トランプは、目先の株価反騰の「材料」にするために「イースター」に閉鎖解除・米経済再開」を言っている。同時にトランプは、仲が良い共和党の上院議員たちに「経済再開よりウイルス防止策を優先すべきだ。閉鎖が5月末まで続くのはやむを得ない」と言わせ、トランプが上院議員たちに押し切られてやむなく経済再開を延期する（不況の激化はトランプのせいでない）というシナリオを演じようとしている。トランプは支持率が就任以来最高の49％になっており、この状態を維持したいのだろう。

株価は反騰した。長期米国債も、先週の危険な感じの金利上昇がなくなり、安定している。だが、債券市場のうち、社債はジャンク債を含めて金利が上昇（価値が下落）し続けている。社債の金利上昇は、米経済が停止して企業も休業から破綻に追い込まれかねないという懸念から起きている。米連銀がQEの資金で社債類を買い支えれば金利が上がらない。金利が上がり続けていることは、連銀が買い支えに入っていないということなのか？　それとも買い支えに入っても売り圧力が膨大でじりじりと値を下げて（金利が上がって）いるのか？　後者だとしたら中央銀行でも支えられないことを意味しうるので危険だ。私は金融業界におらず、社債類の日々の値動きを詳細に見ることができないので、どちらなのかはわからない。これを書いた後に見てみると、米国の投資適格社債とジャンク債の金利は数日ぶりに、前日比でわずかに下がっている。やや危険を脱している感じになってきた。

「最期のQE」が行き詰まるとき

現在、株や債券の取引のほとんどは、個人投資家でなく大手金融機関など「システム」たちだ。今回の金融崩壊を受け、個人投資家は金地金に群がっている。世界的に金地金が品薄で、以前から予測されていた「金地金の売り切れ」が発生している。先物で歪曲されている金相場と、金の現物価格との乖離（プレミアム）が拡大している。最近の乖離幅は5％だという指摘を見たが、先物に妨害・歪曲されない現物だけの価格が存在しないので乖離の実態は不明だ。ゴールドマンサックスは3月24日、顧客に対して金地金を買うよう推奨し始めた。いよいよドル崩壊の感じが出てきている。

（先物に歪曲されている）金相場は、3月前半の数日間で1オンス1700ドルから1500ドルに12％暴落したあと、3月19～20日には再び1700ドル近くまで12％反騰した。暴落は、中銀群（おそらく日銀）が、ドルなど紙切れ系を防衛するためにQEの資金で先物を使って引き起こしたものだ。反騰は、先物と現物の乖離を埋められると考えた投資家が買い上げていったものだろう。中銀群は、この反騰を黙認していたことになる。なぜ黙認したのだろうか。もう金地金の暴騰（＝ドルの失墜）を容認することにしたのか？そんなはずはない。中銀群は、最期までドルを防衛するはずだ。これは、金相場を大幅に乱高下させ、金相場（先物）に投資している投資家の多くを敗退させ、反騰の力を削ぐ作戦かもしれない。金相場は再暴落しかねない。金地金の価値が真に高騰するのは、中銀群の無限のＱＥが行き詰まる時で、それはまだ先だ。

とはいえ、中銀群の無限のＱＥは、トランプや金融界や企業経営者といったエスタブたちの「バブルのゴミ箱」として使われ、腐敗した戦略をとらされ、資金力を浪費させられている。これは「最期のＱＥ」だが、効率よくやれば何年も保たせることができる。しかし、私利私欲で腐敗したエスタブ連中がよってたかってＱＥを食い物にして自分の負債を埋めようとしているので、今回のＱＥの寿命は意外と短いものになる。とりあえず、秋の米大統領選挙までは何としても維持するだろうが、その先はわからない。今の「最期のＱＥ」が行き詰まるときは、ドルや米国債の崩壊になるだろうが、それがどのように起きるのか、円やユーロ、人民元などにどんな影響が出るのか、まだ何も見えていない。

4月2日

8章　静かに世界から手を引く米国

コロナ危機の陰で隠然と撤退を進める米国

イラク、イラン、シリア、アフガニスタン、ベネズエラなど、これまで米国が政権転覆を試みたり軍事占領をやってきた国々で、米国の力の衰退や撤兵が起きている。いずれの諸国に対しても米国は表向き、支配や転覆の戦略をとり続けている。だが詳細にみていくと、押しの力が弱くなっていたり、軍事再編という口実で撤兵を進めていたりする。トランプは、明確な撤退戦略を打ち出すのでなく、隠然と撤退を進めている。米国全体がコロナ危機に襲われて世界支配どころでない中で、トランプ政権は静かに世界から手を引いている。

イラクでは、米国とＮＡＴＯなど同盟諸国の軍隊が撤退している。米軍は３月下旬に入り、イラクの北部と西部の合計3カ所の基地から撤退し、基地をイラク政府軍に移譲・返還した。基地を撤収した米軍は、イラク東部や首都バグダッド周辺に移動しただけであり、イラクからの撤退でなく、むしろイラク東部に結集して隣のイランと戦争する準備を開始したのだと報じられている。しかし、よく見るとそうでない。イラクの3基地からの米軍撤退を、米政府は「イラクからの撤退ではない。再編にすぎない」と言っているが、イラク側は「これは米軍のイラクからの撤退の第一歩である」と宣言している。

米軍が今回、撤退したのは、クルド地域に近いキルクークとモスルという北部の2大都市の郊外にある2つの空軍基地（K1、Qayyarah）と、イラクの対シリア国境にあるユーフラテス川沿いのアルカイム（Al Qaim）の基地の合計3か所だ。イラクを分割支配しつつイランとも戦うという米国の従来の戦略を続けるなら、3つの基地への米軍駐留が不可欠だ。従来の米国のイラクでの戦略は、シーア派、クルド人、スンニ派の3つの派閥が永久に対立し続けてイラクを弱いままの状態にしておき、対立構造の上に米国がイラクを軍事支配する構図だった。大油田があるキルクークは、クルドとシーア派（中央政府）との石油利権争いの係争地で、米国は少数派のクルド人を90年代からテコ入れし、クルドが米国に支援されて中央政府（最初はサダムフセイン、イラク戦争後はシーア派）をおびやかすことを手伝っていた。キルクークからの米軍撤退は、米国がクルド人を見捨てることを意味する。米軍はすでにシリアからの撤兵でクルド人を見捨てており、イラクでも同様の流れになる。米国に頼れなくなったクルド人は、イラクの中央政府（シーア派）と対峙するためにイラン（シーア派の親分）に頼るようになる。クルドを見捨てることは、米国のイラン敵視戦略にとって大きなマイナスだ。

ISISと戦うふりをして支援してきた米国

モスルはもともとスンニ派が多い大都市で、2014年にスンニ過激派がISIS（イスラム国）に化け、モスルを支配した。米軍は「テロ戦争」でISISと戦うふりをして支援し続け、スンニ対シーア（イラン系）の戦いを扇動した。米国が軍産（テロ戦争）潰しのトランプ政権になった2017年以降、ISISはモスルから追い出されて砂漠に逃げ、衰退した。ISISが退治されるとともに、イラクの政府や議会がモスルや他のイラク国内にいる米軍に撤退を求めたが、トランプの米国は無視して米軍を駐留させ続けた。今年1月3日にイランの英雄だったスレイマニ司令官がイラクで米軍に殺された事件後、イラクで米軍への撤退要求が強まり、今回のモスルなどからの米軍撤退に至った。トランプは表向き軍産そのもののような演技をしつつ、裏で世界的な反米感情を扇動して軍産の世界支配戦略を潰している。

今回米軍が撤退する3つ目のイラクの基地であるアルカイムは2017年から米軍が使っていた。表向き、イラクの砂漠に逃げて残っているISISの残党を退治するイラク政府軍を米軍が訓練する基地だったが、米軍はシリア国境に接したこの基地から、シリアに残っているISISを支援していた。イラクからシリアに通じる国道の国境は、ユーフラテス川沿いのアルカイムと、ダマスカス方面につながるアルタンフの2か所で、米軍はその両方に基地を持ち、シリアで露アサドイランの軍勢と戦うISISをこっそり支援してきた。米軍は、アルカイムからラッカやアレッポのISISを支援し、アルタンフからはダマスカスを攻撃するISISを支援していた（アルタンフの米軍基地はまだ稼働している）。最近、シリア政府やロシアが、アルタンフに駐留する米軍が、近くにあるISISが支配するシリア側の難民キャンプに「国連の人道支援物資」のふりをして武器を供給していたことを暴露している。米軍がISIS（やアルカイダ）と戦うふりをして支援してきたことは、もはや動かぬ事実だ。米軍はイラクからのほか、ヨルダンやトルコからも国境沿いのISISやアルカイダの拠点に支援を送ってきた。

今回、米軍がアルカイムの基地から撤退したことは、シリア内戦が露アサドイラン側の勝利で確定し、米軍がアルカイムなどを経由して支援してきたＩＳアルカイダが完全に掃討されたことと関連している。敗北したＩＳカイダはトルコ国境に近いイドリブに集められており、彼らの今後の処遇について、守ってやりたいトルコと、殺したい露アサドが対立し、交渉が難航し、露アサド軍とＩＳカイダとの戦闘が断続的に続いている。しかし、シリアの大勢はアサド側の勝利で確定している。イドリブをめぐる露アサドとトルコの対立に、米国は関与していない。先日、アサドを敵視してきたサウジアラビアの名代で、ＵＡＥの皇太子がアサドに電話して仲直りしている。

シリア内戦の終結は、米国（軍産）が９・11以来20年間続けてきた（やらせの）「テロ戦争」の終結になる。シリアにおいて米軍は、まだ北部の油田とアルタンフに駐留しているが、内戦が終わってもシリアに違法に駐留し続ける米軍は国際的に非難されており、近いうちに撤退話が出てくるのでないかとも思える。

イラクとシリアを結ぶ、アルカイムやアルタンフを通る２本の国道は、イラン系の軍勢（民兵団、革命防衛隊）がイランからイラクを経由してシリアに軍事物資や要員を運ぶルートでもある。イランはこのルートで、レバノンやイスラエル国境地帯にも武器などを送り込んでいる。アルカイムやアルタンフの米軍基地は、シリアを出入りするイラン系の勢力を監視する任務も持っていた。米軍のアルカイム撤退は、イランの行動の自由を拡大し、イランはシリアでますます影響力を拡大することになる。「米軍は、イランと戦うためにアルカイムなどイラクの基地を撤収する」という米政府の説明は、目くらましのウソである。

米国のほか、フランスやチェコの軍隊も、イラクからの撤退を決めた。これらの軍隊は、ISISと戦うイラク政府軍を訓練する任務を負っていたが、ISISが掃討され、すでに任務を終えていた。フランスなどは、コロナ危機で海外派兵どころでなくなっている。英国や豪州の軍隊はまだイラクにいるが、米国が撤退傾向を強めたらこれらのアングロサクソン軍勢もイラクから撤退するだろう。欧米勢が出て行くほど、イラクは非米的な国になる。2003年のイラク戦争以来の支配状態が解消されていく。

イラン、アフガニスタン、ベネズエラでも下がる米国の影響力

米国はイラクから撤退するだけでなく、イランに対する敵視も解消していきそうな方向だ。トランプの米政府はこれまで、イランがコロナ危機にみまわれ発症者が急増しても救

援物資の送付などの経済制裁緩和を了承せず、むしろ革命防衛隊への制裁を強化するなど、イラン敵視を強める姿勢をとってきた。ＥＵはトランプに、イランへの制裁を緩和して医療支援できるようにしてほしいと要請したが拒否されていた。ＥＵはいまだに対米従属の傾向が強く、米国に拒否されると泣き寝入りしてしまう。欧米がイランを支援しないため、中国がイランへの影響力を拡大すべく、医師団を派遣したり、武漢に作ったような急いで作る病院を建設したりして、イランの感染対策を手伝った。中国のイラン支援は、米国主導のイラン制裁策に違反しているが、中国はすでに米国から敵視・経済制裁（高関税付加）されているので、イラン制裁を破っても米国との関係がこれ以上悪くなりようがない。

イランは核兵器を開発していないのに「核兵器開発」を理由に米国などに経済制裁されている。コロナ危機は、この濡れ衣の制裁構造を打ち破って世界がイランを支援すべき人道上の理由を作っている。中国は大手を振ってイランを支援し始めている。このままだと、いずれコロナ危機が終わった時、中国は米国のイラン制裁を完全に無視してイランと強い経済関係を構築し、イランの石油ガス利権の多くが中国（やロシア）のものになり、欧米がイランを制裁し続けてもイランは中国に頼って経済を維持できる状態になってしまう。米国のイラン敵視策が無意味になる。

この新事態を見て、欧州諸国も、これまで米国に遠慮して踏み切れなかった「INSTEXの実用化」を開始した。独仏英は3月31日、イランに医療品を輸出し、INSTEXを初めて使って代金を決済したと発表した。INSTEX（貿易取引支援機構）は、米国によるイラン経済制裁の枠組みを迂回して、EUなどの諸国がイランと貿易代金の決済ができる新機構だ。世界は従来、ドル建てでSWIFT（国際銀行間通信協会）を使って貿易代金を決済してきたが、ドルの国際決済はNY連銀で監視されており、イランとの取引は制裁違反として凍結される。国際的な銀行間の決済情報システムであるSWIFTもイランの銀行を除名したのでイランとの取引に使えない。

INSTEXはこれらを乗り越えるため昨年1月に完成したが、米国が「INSTEXを使うなら、米国は欧州をイラン制裁の違反者として経済制裁する」と脅したため、これまで使われていなかった。イランで感染者が急増して医療崩壊が起きている今回のコロナ危機で、欧州諸国は、米国の反対を押し切ってINSTEXを使う正当性・人道上の必要性が出てきたので初の使用に踏み切った。欧州としては、イランの石油ガスなどの利権を中国に取られたくないという思惑もあるはずだ。

コロナ危機によって、中国や欧州が、米国の脅しを無視してイランとの関係を強化し始めた。米国のイラン敵視戦略はコロナ危機によって破綻している。中東ではイランだけが新型ウイルスの爆発的な感染拡大に見舞われている。中国からの入国者から感染が拡大したように見せかけて、実は軍産の仕業なのかもしれないが、だとしたら中国や欧州がイランに接近している今の事態は大きなブローバック（諜報作戦の悪い反響）であり失敗だ。

トランプの米政府はイラン敵視の姿勢を崩さないが、現状を放置していると、イランに対する米国の影響力が下がるばかりだ。このため米議会ではトランプにイラン制裁の緩和を求める動きが始まっており、それを受けてポンペオ国務長官がイラン制裁の緩和を検討すると3月31日に初めて表明し、イラン敵視一辺倒だったこれまでの姿勢を転換し始めている。米政府が今後実際にイラン制裁を緩和するか不明だが、米国がすでに中国や欧州によるイランへの接近を止められなくなっているのは確かだ。

アフガニスタンでは、2月末に米政府と停戦・和平条約を結んだタリバンがその後、米国と協調せず、米軍が完全撤退するまで戦い続ける姿勢を見せている。タリバンは、米国傀儡のアフガニスタン政府とも協調することを拒否し、米軍が撤退したら米傀儡政権を武力で倒して9・11前にあったタリバン政権を復活しようとしている。事態がこのまま進むと、9・11後に米国がアフガニスタンを占領して作った政治体制はタリバンに壊され、米国の20年間の占領が無に帰す「ベトナム状態」になる。トランプは、その線を静かに進めようとしている。トランプ政権は、米傀儡のアフガニスタン政府に出してきた経済支援を10億ドル削減することを決め、傀儡政権を見捨て、タリバンの勝利を黙認している。米軍は3月9日にアフガニスタンからの撤退を開始した。

本来なら、アフガン占領に積極的だった軍産が「タリバンとの和解を壊して米軍の駐留を継続すべきだ、トランプは間違っている」と主張しそうなものだが、軍産の多くはそうでなく「もう米軍は事態を変えられない。このまま撤兵するのが良い」「米国が撤兵したら中国やロシアがアフガニスタンの面倒を見る。中露は米国以上に失敗して悲惨なことになるので、このまま中露にやらせるのが良い」などという詭弁を発しつつ、事態を容認している（実のところ、中露は現実派なので失敗しない範囲でアフガニスタンに関与するので悲惨なことにならない）。中露だけでなく、西隣のイランもアフガニスタンに対する影響力を急増させている。アフガニスタンは米国の支配下から出て、中露イランの傘下に入っていく。米国の覇権低下に拍車がかかる。

中東以外だと、南米のベネズエラにおいて、米国の影響力が低下している。米国はこの四半世紀、チャベス前大統領（2013年死去）とその副官から昇進したマドゥロ現大統領が左翼で親キューバなので敵視し続けてきた。昨年初め、選挙でマドゥロの勢力が縮小したのを受け、野党党首のファン・グアイドが、自分こそが暫定大統領であると宣言し、米国がこれを支持したため、グアイドによる政権転覆の可能性が増した。だが、国軍がマドゥロを支持し続けたため政権は転覆されなかった。昨年3月、トランプ政権がベネズエラへの制裁を強化し、米軍を派兵してもベネズエラを政権転覆すると示唆したため、対抗してロシアと中国が軍事顧問団をベネズエラに派遣し、米軍による空爆に備えてロシアの高性能な迎撃ミサイルS300も配備された。その後、そのまま膠着状態が1年間続いている。

米国から支持されているグアイドは、国民からの支持がしだいに低下し、このままだとマドゥロ政権が巻き返す事態になっている。そのため米政府は3月31日、マドゥロとグアイドの両方が辞任し、代わりにグアイド傘下の議員ら5人で暫定政権を作り、やり直し選挙をやる和解案を提案した。グアイドが国民に支持されないので、グアイドと一緒にマドゥロを辞めさせる魂胆だった。当然ながらマドゥロは米国案を拒否した。ロシアはマドゥロを支持し続けており、このままグアイドが不利になっていくと、米国はベネズエラでの影響力を失い、ベネズエラはロシアや中国の傘下に入っていき、シリアやイラク、アフガニスタンなどと並んで米覇権喪失の一例になる。コロナ危機で世界的に国際政治どころでなくなっている中、あちこちで静かに米国の覇権喪失と多極化が進んでいる。

4月11日

9章　ウイルス危機が世界経済をリセットする

新型ウイルスをめぐる情報の歪曲

1月23日に中国政府が武漢を閉鎖し、世界的な新型ウイルス危機・コロナ危機が始まってから3カ月近くがすぎた。当初、ウイルスが人類にどんな影響を与えるかという分析を優先すべき状況になり、私はしばらくそっちの方面の分析記事を書き続けた。だが3月末以来、イタリアや米国の死者の出方が誇張されている疑い（主な死因が他の疾病なのに、死後検査して感染していたらすべて死因をコロナにしてしまう）とか、日本政府が検査数を増やして感染者の増加を演出している疑いなど、ウイルス危機を口実に各国政府が別の謀略をやろうとしている観が強まり、ウイルス自体の特性よりも、政治的裏読みの方が重要になった。ウイルス自体の特性も、政府や権威筋によって歪曲されているかもしれない。

国際的な情報歪曲の分析は、私が9・11以来20年続けてきたことだ。

新型ウイルスをめぐる歪曲でまず分析せねばならないのは、このウイルスの発生経路についてだ。コウモリが持っていたコロナウイルスが中国の山の中でネコ科などの野生動物にうつり、その動物が武漢の野生動物食肉市場で生きたまま売られている間にヒトにうつり、武漢市民から人類全体に感染した、というのが中国政府の公式説明だ。SARSもこのルートでヒトにうつったとされている。SARSの場合は、詳細な研究結果が発表されている。

しかし中国政府は、今回の新型ウイルスでは、武漢の動物市場の詳細な調査結果など公式説明を裏づけるデータを発表していない。中国共産党による公式説明は、世界的に疑われている。中国共産党が詳細な調査結果を出さないからだ。中国共産党は「米国の中国敵視の議員などが、中国共産党を陥れるために公式説明を声高に疑っている」と批判するが、話が逆だ。中国共産党が公式説明の詳細な裏付けを発表すれば、米国の反共議員も黙らざるを得ない。中国共産党は、反共議員を黙らせられる証拠を持っていないのだろう。「コウモリから動物市場経由でヒトへ」という公式説明は、根拠があやふやなので人類を説得できず、確定的な発生経路になれていない。今後もずっとあやふやなままだろう。

そのほかの発生経路として取り沙汰されているのは、武漢ウイルス研究所からの漏洩だ。この研究所はＳＡＲＳの実態解明のため、コウモリのコロナウイルスを山中で採取してたくさん持っていた。ＳＡＲＳの発生経路の再現研究として、コウモリのウイルスをネコ科などの動物にうつす実験もしていた。実験中のウイルスないし動物を、間違って、または意図的に外に出すと、近くにいるヒトに感染してしまう。この経路での「単純な説」は、ウイルス研究所の研究員が間違ってウイルスを漏洩してしまった「過失説」だ。武漢ウイルス研究所は、最も基準が厳しい「Ｐ４バイオラボ」だが、過失は誰にでも起こりうる。それと別に「複雑な説」がある。研究員が意図的にウイルスを漏洩した「悪意説」だ。悪意説はさらにふた手にわかれる。一つは「中国共産党が意図的にやった」という説、もうひとつは「中国共産党の敵（特に米国）が意図的にやった」という説だ。

中国共産党は1月中旬以降、新型ウイルスの感染拡大を止めようと死にものぐるいの対策をしている。その姿勢から見て、中国共産党が意図的にウイルスを市民に感染させたとは考えにくい。半面、米国が意図的にやったとしたら、それは中国から米国の大学に研究しにきた中国人の若手のウイルス専門家を、米諜報界がたぶらかしたり陥れたりして米国のスパイに仕立て、その研究者が中国に帰国して武漢ラボに就職し、米諜報界から命じられるままにウイルスを漏洩させたといった展開があり得る。私は、この「武漢ラボ要員が米国のスパイにされた説」(米中バイオラボスパイ戦争説)か、もしくは単純な「武漢ラボ要員の過失説」の可能性が高いと考えている。当初、その手の記事を書いたが、今もその見立ては変わっていない。

「米国による意図的な行為」の説は、武漢ラボが絡まない「昨秋、武漢を表敬訪問した米軍の要員がウイルスを持ち込んでばらまいた」という説もあり、中国外務省がこの説を「あり得る」と言って流布させたりしている。中国共産党は、武漢ウイルス研究所が米国のスパイに入り込まれたとか、うっかりミスで超危険な今回のウイルスをばらまいてしまったといった、研究所の名声に傷をつける話を認めたくないのだろう。それで、武漢を表敬訪問した米軍が……という話を作ったのだろう。もっと具体的な「米軍のやり口」に関する詳述などをしないと、中国共産党はこの説を信用してもらえない。

コロナ危機がもたらす不可逆的変化

延々と書いたが、実のところ発生経路はそれほど重要でない。どんな発生経路であれ、今回ウイルス危機を奇貨として、米国や中国、ロシアなどの諸大国が、自国の世界戦略を推進できるからだ。たとえばロシアは、サウジやＯＰＥＣを誘って世界的な石油増産をやって、コロナ危機で供給過剰になっている国際原油市場をさらに供給過剰にして相場を暴落させ、ジャンク債を大量発行してきた米国のシェール石油ガス産業を連鎖破綻させ、米国の社債市場を崩壊させて米国の覇権を潰し、ロシアの覇権拡大と、国際エネルギー市場に対するアラブ産油諸国の影響力拡大を実現しようとしている。多分成功するであろう露サウジの策略は「誰がウイルスをばらまいたのか」という話と関係なく存在している。

「新型ウイルスは、遺伝子の塩基配列の中に自然界に存在しない部分があるので、人為的に作られた生物兵器だ」という説がある。自然界に存在しない同じ塩基配列がエイズのウイルスであるＨＩＶにもあるという。新型ウイルスとＨＩＶは、同じ勢力（米英の軍産）が作った生物兵器だという、以前から流布している話と合体して「また奴らがウイルスをばらまいて世界に感染病を広げた」とも言われている。この説を研究論文として最初に出したのはインドの研究者だったが、この研究者は、いったん発表した論文を「同じ塩基配列は、他の（自然界の）多くの有機体にも存在していることがわかった」として、数日後に発表を取り下げている。新型ウイルスとＨＩＶが同根なら、両方を作ったのは中国でなく英米軍産になってしまい、インドの中国敵視策にそぐわなかったのかもしれない。

この研究者の発表を最初に紹介したのは、中国敵視の言説を多数載せているインドの諜報機関系のサイト「グレートゲーム・インディア greatgameindia.com」だった。そこからゼロヘッジなどに転載され、世界的に広がった。

私は当時、「これはコロナに便乗したインドの中国敵視策の一つでないか」と思い、論文も取り下げられたので、これまで私の記事で紹介する機会を失っていた。しかしその後、日本でも他の人々がこの説を喧伝した。喧伝者たちは、インドの中国敵視策との関係は指摘していない（そこまで頭が回らない？）。結局のところ、新型ウイルスの塩基配列の一部が自然界に存在しないものなのかどうか、エイズウイルスだけが同じ配列を持っているのかどうか、確認できない。

加えて「新型ウイルスは、中国の軍などが開発していた生物兵器だった」という説も、それを指摘した人物（Dany Shoham、ダニー・ショハム）が、2001年の9・11直後に米国でばらまかれた炭疽菌について「サダム・フセインが開発したものだ」と無根拠に間違いを言いふらしていたイスラエルの元モサド要員だったので、私は「炭疽菌の真犯人はお前ら軍産自身だろ。中東で食えなくなったので中国敵視で食おうという魂胆だな」と思って紹介しなかった。しかし日本では、マスコミでこの話が報道され、国際問題の「専門家」（笑）がこの話を紹介していた。ショハムの炭疽菌の「前科」は日本で報じられていない。

「国際エリート層は、人類の人数が多すぎるので危険なウイルスを世界的に蔓延させて多数の人を死なせる『人減らし作戦』を画策してきた。コロナ危機はまさにこれだ」といった説が、米国のオルトメディアなどで流布されている。だが、これは私から見ると間違いだ。新型ウイルスは大して人を殺さない。新型ウイルスで死ぬ人のほとんどは、もともと他の持病で死にそうだった人であり、世界の死者数はたぶん急増しない。世界各国はむしろ逆に、人々の恐怖心を煽るため、他の死因の死者をコロナの死者だと歪曲している。臨時の遺体安置所は用意されるだけで「満杯だ」と報じられる。誇張報道を信じた軽信者が「やっぱりコロナ危機はエリートによる人減らしなんだ」と早合点する。そもそもエリート層は、自分たち大企業の商品やサービスを使う人の増加・企業の増益を望んでおり、人減らしを好まない。

新型ウイルスは大して人を殺さない。だが、ウイルス危機による都市閉鎖や外出自粛策によって経済活動が世界的に全停止し、大企業の利益が急減する。「アマゾンなど一部企業は大儲けするので、新型ウイルスはアマゾンのベゾスあたりが配下の諜報機関にばらまかせた」という考えは、できなくもない。だが、経済の崩壊は物販などの実体経済だけでなく金融システムにも及び、不可逆的な破壊としては実体経済より金融システムの方がひどくなる。最終的には金融市場そのものが「終わり」になりそうで、アマゾンを含む大企業の株や債券も最終的に紙切れになる。社債を発行して新規投資する企業の戦略がやれなくなる。ベゾスがそれを望むはずがない。

新型ウイルスは、大して人を殺さないが、企業の利益は急減し、企業活動が不可逆的に大きな支障を抱える。これはエリート・エスタブが望む方向と正反対だ。エリートたちは、どんどん起業して民間企業が繁栄し、起業家や投資家たちが大儲けし続ける世界を望んでいる。しかし今、世界的に、航空会社や小売店やサービス業、自動車会社などあらゆる産業が倒産寸前の状態に追い込まれ、基幹産業は国有化を余儀なくされていく。起業家や投資家が儲けられた世界体制は、コロナ危機によって不可逆的に終わる。

コロナ危機は最終的に、１９８０年代以来の米英中心の世界の繁栄の根幹に位置してきた債券金融システムを破壊する。リーマン危機で債券金融システムはいったん破壊され、その後は米連銀など中銀群のＱＥが債券金融システムを延命させてきた。コロナ危機は中銀群を無限大のＱＥに追い込んだ。いずれ無限大のＱＥは行き詰まり、中銀群と債券金融システムの両方が破綻・機能不全に陥り、二度と再生できなくなる。それが、起業家や投資家が儲けられた世界体制の終わりになる。

隠れ多極主義vs軍産複合体の暗闘としてのコロナ危機

もうみんな忘れてしまったかもしれないが、コロナ危機が始まるまで、米政界の最大の問題は「トランプvs軍産複合体」だった（今やコロナ危機の前の出来事が遠い昔の話のようだ）。軍産は、米国の覇権を運営してきた米諜報界、議会、外交官、マスコミ、学界などで構成され、米国の覇権体制を恒久化したい勢力だ。トランプは、軍産のふりをして軍事費を急拡大しようとしつつ、EUなどとの喧嘩を激化させて「米国が欧州など先進諸国を従えて覇権を維持する」という従来の国際協調主義的な米覇権体制を破壊してきた。ロシアや中国、イランを敵視しつつ、世界が米国を嫌うように仕向け、露中イランなどが協力して覇権を拡大するように仕向け、世界の覇権構造を米国単独から多極型に転換させようとしてきた。トランプは「隠れ多極主義者」だ。「トランプvs軍産」の暗闘は、戦後の米国中枢・諜報界でずっと続いてきた「隠れ多極主義vs軍産」の暗闘の一部だ。

コロナ危機は、この暗闘と無縁なのか。新型ウイルスの発祥について「中国の山のコウモリのウイルスに感染した野生のネコが武漢の野生動物市場で売られている間にヒトに感染した」という「自然発生説」だけを信じている限り、軍産とか隠れ某が入ってくるすきがない。だが、米諜報界が武漢ウイルス研究所の要員の誰かをスパイに仕立て、その者が動物実験中の新型ウイルスを厳重なＰ４ラボから外に出したのだとしたら、ウイルス危機は「隠れ多極vs軍産」の暗闘の一部として分析する必要が出てくる。

武漢ウイルス研の要員を、米国留学中にすかしたり脅したりしてスパイに仕立てたのは米諜報界だ。米諜報界が、その要員に命じて新型ウイルスをＰ４ラボから外に出させてウイルス危機を起こした理由は、中国でウイルスを蔓延させて多数の死者を出させるか、中国共産党が中国を広範囲に閉鎖して経済を全停止させざるを得ない状況に陥れ、米国の敵である中国に打撃を与えようとしたからだろう。昨年後半「中国は、米国にとってイラン以上の脅威だ」という考え方が米上層部で流布し、「何らかの方法で中国経済に大打撃を与えないと、米国は経済的に中国に抜かれて覇権国の座を追われる」という危機感が増していた。中国にウイルスを蔓延させる作戦は、米国が中国に覇権を奪われないようにするために軍産がやった策だという説が成り立つ。

しかし、コロナ危機の前のような国際的な人の移動が多かった時代に、中国に危険なウイルスを蔓延させたら、すぐに米国や同盟諸国にもウイルスが流布して世界的な蔓延になってしまうことが簡単に予測できたはずだ。事実、中国が武漢を閉鎖してから3カ月後の今では、中国より米国の方が新型ウイルスの感染者や死者が増えてしまっている（米国は統計値を多めに、中国は少なめに出しているが）。米国経済は中国経済よりもはるかに借金漬けで、コロナ危機による米経済の全停止は今後長期化するとともに、米国の金融システムを不可逆的に破壊していく。QEが行き詰まり、ドルや米国債の金融システムが使い物にならなくなり、米覇権が崩壊する。

中国は、米マスコミが喧伝するほど金融バブルがひどくない。習近平政権は2015年からバブルを先制的に潰す予防策をやってきた。コロナ危機で経済が潰れるのは中国でなく米国だ。軍産は、ウイルスを中国にばらまいて中国経済を潰して米国覇権を守ろうとしたつもりが、逆に、米国の経済覇権を自滅させることをやってしまったことになる。敵を攻撃したつもりが自国への反動が強く自滅になってしまう「ブローバック」現象の巨大なものが起きている。

隠れ多極主義のこれまでの動き方を見ると、米国覇権を自滅させる巨大なブローバックとしてのコロナ危機は、軍産の内部に入り込んだ隠れ多極主義勢力によって意図的に引き起こされたと感じられる。同様の巨大なブローバックが、隠れ多極主義のネオコン勢力が手がけた2003年からのイラク戦争でも引き起こされたからだ。ブッシュ政権の上層部に巣食ったネオコンは、捏造した「ニジェールウラン文書」などを使って「イラクが大量破壊兵器を持っている」という無根拠な濡れ衣をかけ、それを開戦の大義として、「米軍が侵攻したらイラクは簡単に民主化でき、素晴らしい（米傀儡の）国になる」と言いつつ米軍をイラクに侵攻させてフセイン政権を潰した。

しかしその後、大量破壊兵器の開戦大義がウソであることが確定し、イラクは反米感情が強まって米国のイラク占領は失敗し、イラクは米国の敵であるイランの影響圏になってしまった。イラク戦争で、米国は外交安保分野の覇権を大幅に低下させた。その後のシリア内戦も似たような傾向になり、中東では露中イランの影響力が増し、世界の多極化に拍車がかかった。ネオコンは、イラク戦争をとても稚拙に挙行することで、米国の覇権を自滅させ、世界の覇権構造を多極化した。ネオコンたちは安保や中東の専門家であり、たまたま過失の結果としてそうなったのでなく、最初からそのつもりだったと考えられる。

トランプは、ネオコンの戦略を受け継いでいる。露中イランを稚拙なやり方で敵視することで、露中イランの覇権を拡大してやっている。武漢で新型ウイルスを漏洩させて世界を感染させる策をトランプが考えて実行させたのでなく、米諜報界の一部がやりたがっていた武漢ウイルス漏洩策の実行をトランプが黙認ないし許可したのだろう。イラク戦争も、ネオコンが最初に考案したことでなく、ブッシュの前のクリントン政権が１９９７年ぐらいにイラクへの経済制裁の緩和を人道上の見地などから検討していたのを軍産イスラエルが猛反対して止め、経済制裁を続行させたあたりから、軍産イスラエルの中に「フセイン政権を転覆する」というシナリオがあった。ネオコンはそのシナリオを、軍産イスラエルが期待するよりずっと稚拙なやり方で進めることで、隠れ多極主義の道具に転用した。

　今回のウイルス危機は、イラク戦争だけでなく、２００８年のリーマン危機とも似ている。リーマン危機で果たせなかった暗闘の2回戦であるとも考えられる。イラク戦争は「軍産 vs 隠れ多極主義」だが、リーマンは「米金融覇権主義 vs 隠れ多極主義」である。米金融覇権主義は、米金融界の主流派のことだ。軍産と、米金融覇権主義は、米国覇権の永続を望む点で同根・仲間どうしだ。両者ともエスタブリッシュメントの一員だ。リーマン危機は、膨張しすぎたバブルが低品位な不動産担保債券の崩壊（債務不履行）から金融システム全体の危機に発展した。

　バブルの膨張や破裂は「自然な動き」に見えるが、バブルの膨張を扇動したり、バブルの崩壊時に混乱を拡大させてリーマンブラザーズやその他の金融機関を破綻させる火付け役をした勢力が金融界の内部にいる。彼らが隠れ多極主義者である。彼らはＪＰモルガンなどの内部にいて、倒産寸前のリーマンから資金を引き上げたり、リーマンの次にＡＩＧを潰そうとしたりした。これに対して米覇権主義は米政府を動かしてＡＩＧに救済資金を注入して守った。大手保険会社であるＡＩＧは、債券市場の安全を守るＣＤＳ（債券破綻保険）の大口の発行元であり、ＡＩＧが潰れたら債券市場の破綻がもっとひどいものになっていた。

リーマン後、債券金融システムは崩壊したままだったが、米覇権主義の勢力は議会と政府を動かして金融界に資金注入させたり、米連銀を動かしてＱＥの資金注入をやらせたりした。とくにＱＥはその後現在まで続けられ、米金融システムを延命させてきた。今回のウイルス危機は、そのＱＥを無限大まで拡張せざるを得ない状態に追い込み、ＱＥを行き詰まらせて米連銀（など日銀を含む中銀ネットワーク）を機能不全に陥れて米国の覇権を崩壊させ、世界を多極化しようとする、隠れ多極主義の構想だろう。ウイルス危機はまだ始まったばかりだが、すでに無限のＱＥ拡大が宣言されており、米国の覇権崩壊は不可避な感じだ。

多極型覇権に移行後の世界と日本

隠れ多極主義者がなぜ米覇権を自滅させて世界の覇権構造を多極型に転換したのか。それは、軍産と金融覇権主義者が組んで、米国の単独覇権体制の維持に固執し、中国を筆頭とする世界の新興諸国が世界経済の全体としての成長を加速しつつ、経済政治の両面で影響力を拡大していくことを阻止し続けたからだ。１９９７年のアジア通貨危機などがその象徴だ。通貨危機を起こした投機筋の一人であるジョージ・ソロスは、ロシア敵視の軍産の活動家でもある。軍産など米覇権主義者が世界の運営を握っている限り、米国の世界支配が優先され、新興諸国が抑圧され続けて、世界経済の全体としての成長が長期的に阻害され続ける。

軍産が中国潰しのためにコロナ危機を中国で起こしたが、それを隠れ多極主義者（トランプら）が感染拡大防止策として都市閉鎖を延々とやることで米国のバブルと覇権の崩壊に結びつけた。中国を潰すはずが意図的なブローバックによって米国を潰す策に転換したと考えられる。もしくは、中国の武漢ウイルス研究所内の過失によって引き起こされたコロナ危機を、都市閉鎖によって米国の隠れ多極主義者たちが米国覇権を自滅させる策に転換した。これらのいずれのシナリオでも、米国の隠れ多極主義者たちは、米国だけでなく欧州や英国や日本などの同盟諸国・先進諸国が稚拙な策である都市閉鎖や外出自粛を延々と続けるよう圧力をかけ、同盟諸国がコロナ危機の解決策である集団免疫策に走ることを阻止した。それにより、先進諸国の全体が経済全停止から金融バブル崩壊に至るように仕向け、世界の覇権体制の多極型への転換が確実に進むよう画策している。

多極型の覇権に転換したら、世界はどんな風になるのか。日本はどう変わるのか。東アジアの地域覇権国は中国であり、日本は中国に従属する感じが強まる。すでにコロナ危機の開始後、安倍政権の日本政府は中国を批判したがらず、対中従属感をしだいに強く出している。トランプの米国が中国敵視策を展開しても、日本は静かに無視する傾向を強めている。

多極化は隠然と進んでいる。今後、経済の全停止が米国の金融バブルの破裂を引き起こすと、多極化の傾向がぐんと強まる。こうした流れは、コロナ危機で始まったのでなく、第二次大戦の米国の戦勝とブレトンウッズ体制の確立、そして1971年にブレトンウッズ体制を壊そうとしたニクソンの金ドル交換停止などからの長い流れ・暗闘のひとコマだ。多極型に転換した後の世界の姿については、まだ見えてこない部分が多い。それは今後の分析になる。いま見えているのは、コロナ危機が米国覇権の崩壊につながるだろう、というところまでだ。

田中　宇（たなか・さかい）
国際情勢解説者。1961 年東京生まれ。東北大学経済学部卒。
東レ勤務を経て共同通信社に入社。メールマガジン「田中宇の国際ニュース解説」の読者は 17 万人を数える。
著書に『タリバン』（光文社）、『非米同盟』（文藝春秋）、『世界がドルを捨てた日』（光文社）、『日本が「対米従属」を脱する日』（風雲舎）、『金融世界大戦』（朝日新聞出版）、『トランプ革命の始動――覇権の再編』（花伝社）ほか多数。

感染爆発・新型コロナ危機――パンデミックから世界恐慌へ

2020年 5 月20日　　初版第 1 刷発行

著者 ―― 田中　宇
発行者 ― 平田　勝
発行 ―― 花伝社
発売 ―― 共栄書房
〒101-0065　東京都千代田区西神田2-5-11 出版輸送ビル
電話　03-3263-3813
FAX　03-3239-8272
E-mail　info@kadensha.net
URL　http://www.kadensha.net
振替　00140-6-59661
装幀 ―― 佐々木正見
印刷・製本 − 中央精版印刷株式会社

ISBN978-4-7634-0929-4 C0036